D1261708

A Elsa
A mes parents

Jean-Noël Grandhomme

La
SECONDE
GUERRE
MONDIALE
en France

EDITIONS OUEST-FRANCE
13, rue du Breil, Rennes

SOMMAIRE

Le « bon vieux 75 », qui va
bientôt fêter son cinquantième
anniversaire, ne suffit plus à
toutes les tâches à l'heure de
la guerre aérienne et motorisée
(*Le Miroir*, 10 décembre 1939).
(Coll. Ch. Le Corre)

L'Europe en 1939

D'après : Barroux (Robert), *Histoire générale illustrée de la Deuxième Guerre mondiale*, Paris, Quillet, 1947, hors t

AVANT-PROPOS

Plus l'historien dispose de recul, plus la Seconde Guerre mondiale lui apparaît comme le produit et le prolongement de la Première. Le constat se révèle particulièrement vrai pour la France. Entre 1914 et 1918, elle a fourni un effort gigantesque qui a brûlé ses forces vives et l'a affaiblie durablement, bien qu'elle ait eu du mal à l'admettre et ait continué de se comporter comme une puissance mondiale au cours des années qui ont suivi.

Placée dans la situation de l'armée allemande après 1871, l'armée française s'endort sur ses lauriers, frappée d'immobilisme dans les domaines stratégique et tactique, entièrement soumise à l'avis des « grands chefs » (principalement Pétain, après les disparitions de Foch en 1929 et de Joffre en 1931), dont les sentences définitives ne sauraient alors être contestées. De son côté la *Reichswehr*, en attendant de devenir la *Wehrmacht*, se constitue patiemment sur les débris de l'armée impériale allemande. De même que les penseurs militaires français ont beaucoup pratiqué Clausewitz et Moltke après 1871, elle se met à l'école des grands tacticiens alliés (le *Blitzkrieg* [guerre éclair] est inspiré des grandes attaques combinées de chars et d'avions de l'été et de l'automne de 1918), s'entraîne secrètement en URSS et produit une nouvelle génération d'officiers généraux qui ont fait leurs premières armes pendant la Grande Guerre (Rommel, Guderian, Manstein) et brûlent du désir de prendre leur revanche. Conditionné par la propagande, le peuple allemand soutient avec conviction cet effort de renouveau.

Littéralement épuisés par la tuerie de 1914-1918, les Français sont au contraire devenus foncièrement pacifistes. Certes, il existe de notables différences entre la « paix armée » préconisée par les uns et le « pacifisme bêlant » des autres, mais tous sont d'accord sur le fond, dans le sentiment confus qu'ils n'auraient plus les forces nécessaires pour surmonter une nouvelle épreuve. Fiers de leur empire colonial, de leurs succès technologiques (Renault, Citroën, Michelin, etc.), entrés brutalement – et non pas progressivement, comme les Etats-Unis – dans la société des loisirs à l'été de 1936, ils aspirent à la tranquillité et à la jouissance de biens matériels en voie de sacralisation, notamment par le biais de la publicité. Rien ne symbolise mieux ce repli sur soi que la ligne Maginot, censée faire du territoire national un sanctuaire inviolable, qui a pour corollaire significatif l'abandon à leur sort des Etats alliés à la France d'Europe centrale et orientale.

Cette guerre que les Français ne voulaient pas, ils la feront toutefois, souvent avec courage. La « lâcheté » des soldats et officiers de 1940 doit largement être remise en cause. Ce conflit revêtira ensuite des contours inédits. Si, en 1914, les Français avaient été unis comme jamais sans doute au cours de leur histoire, la période 1940-1944 sera celle des règlements de comptes, sous l'œil de l'occupant, entre adversaires qui ne cessaient de s'invectiver depuis la fin des années vingt (ce qui n'empêchera pas d'ailleurs de surprenants reclassements). Période sombre, entachée d'horreurs qui cette fois touchent principalement les populations civiles, mais traversée aussi par des figures d'exception et des événements devenus mythiques, la Seconde Guerre mondiale n'en sera pas moins au bout du compte pour la France celle de l'enfantement d'une société nouvelle. C'est ce qu'essayera de mettre en lumière cette synthèse qui s'appuie sur les dernières avancées de la recherche historique.

Dans la cour des Invalides : remise de la croix de commandeur de la Légion d'honneur au général de Courson de La Villeneuve (11 juin 1939). L'armée française est auréolée d'un immense prestige depuis sa victoire de 1918, et les vétérans de la Grande Guerre jouissent d'une autorité incontestée.

(Coll. A. de Courson)

Le Michel allemand : La vraie France a fait son devoir, et nous avons été battus : qu'eût-ce été si l'autre aussi avait fait le sien ! Vous pouvez limiter nos armements, vous ne limiterez pas le nombre de nos enfants. Au revoir dans vingt ans !

D'UNE GUERRE À L'AUTRE

Une génération entière a été fauchée au cours de la Grande Guerre, qui manque cruellement à tous les niveaux de la société dans les années 1920 et 1930. Le Lorrain Auguste Petit, tué en 1915.
(Coll. George)

Page de gauche :
Image prémonitoire dans *Le Pèlerin* du 4 mai 1919 : beaucoup de Français sentent confusément que la victoire de 1918 n'est pas définitive et que leur pays est, en dépit des apparences, touché plus profondément dans ses structures que l'Allemagne vaincue.
(Coll. Ch. Le Corre)

Les gueules cassées sont un rappel permanent des horreurs de la guerre et constituent à elles seules un vibrant manifeste pacifiste.
(Coll. Ch. Le Corre).

VERSAILLES, UN HÉRITAGE IMPOSSIBLE ?

Lorsque, au matin du 11 novembre 1918, le clairon de l'Armistice sonne la fin du grand affrontement des peuples européens, les Français sont partagés entre la joie et le recueillement. Certes victorieuse et auréolée d'un immense prestige, la France a supporté la plus grande part de l'effort de guerre des Alliés et son territoire a servi de champ de bataille principal pour les deux coalitions. Parmi les grands belligérants, elle est proportionnellement celui qui a été le plus « saigné » par l'hécatombe avec près de 1,4 million de tués (c'est-à-dire près de 1 habitant sur 20, contre 1 sur 34 en Allemagne et 1 sur 63 en Grande-Bretagne) ; 3 millions de blessés, dont 740 000 mutilés. Sans parler des destructions dans l'ancienne zone du front, la tourmente a aussi eu des effets dévastateurs dans les sphères économique et financière : en 1918, l'Etat est très fortement endetté, vis-à-vis de la Grande-Bretagne, et surtout des Etats-Unis, devenus les créanciers du monde.

Aprement négocié entre les vainqueurs, le traité de paix entre les puissances « alliées et associées » et l'Allemagne est signé à Versailles le 28 juin 1919. Dénoncé comme un *Diktat* outre-Rhin, il déçoit également nombre de Français, qui le jugent trop clément. Traumatisés et rancuniers, ils plébiscitent dans un premier temps des dirigeants qui prônent une politique très coercitive vis-à-vis de l'Allemagne. Pour le gouvernement du Bloc national (1919-1924), soutenu par la Chambre « bleu horizon » (où de nombreux élus sont des anciens combattants), il s'agit de « faire payer » l'Allemagne.

Versailles est en fait le résultat d'un dramatique malentendu fondé sur un mensonge : l'armée allemande n'a pas perdu la guerre, prétendent ses chefs ; ce sont les socialistes et les démocrates de l'arrière qui lui ont porté le « coup de poignard dans le dos ». Aussi le peuple abusé est-il révolté des conditions draconiennes imposées au pays. Habitué sans discontinuer aux succès militaires depuis les années 1860, et baignant dans une idéologie qui glorifie la puissance industrielle,

5. DÉFILE DE LA VICTOIRE - 14 Juillet 1919
Les Mutilés en tête du Cortège
Victory's Defile - In head the great woundeds

9

commerciale et scientifique du Reich et ses prétentions intellectuelles, il a beaucoup de mal à intégrer la « culture de la défaite » qui s'impose. Ce sentiment d'injustice et d'humiliation est à l'origine de la politique révisionniste de tous les gouvernements allemands de l'entre-deux-guerres, qui s'appliquent à détruire le « système de Versailles ». Les Allemands oublient-ils qu'ils avaient amputé la France de deux provinces en 1871, tout en lui imposant une lourde indemnité, et qu'ils préparaient son asservissement complet en cas de victoire ?

De leur côté, les Français sont intimement persuadés de leur bon droit : l'Allemagne, flétrie comme l'incontestable agresseur, est tenue pour seule responsable du conflit (article 231 du traité). Il s'agit désormais de la maintenir dans un état d'infériorité permanente pour empêcher toute renaissance du militarisme prussien. A cet effet, Paris propose son dépeçage, mais les Anglo-Saxons s'y opposent. Seul le retour de l'Alsace-Lorraine dans le giron français est finalement avalisé, ainsi que l'administration provisoire de la Sarre avec plébiscite à terme. En compensation, les Britanniques et les Américains offrent à la

Le général Degoutte et le général Henrys, accompagnés des représentants de la Belgique et de l'Italie, prennent possession de la Ruhr et intiment leurs ordres aux industriels allemands. (Dessin de Damblans.)

France une garantie militaire en cas d'attaque allemande. Or, le refus de Washington de ratifier le traité de Versailles et le pacte de la Société des Nations (SDN) entraîne le retrait rapide des troupes américaines d'Europe, et Londres en profite aussitôt pour se désengager à son tour. Demeurée seule avec la Belgique face à l'ancien adversaire, la France se crispe : elle ne veut, ni ne peut, se permettre une application généreuse de Versailles ; au début des années vingt, l'opinion ne l'aurait pas toléré.

En janvier 1923, la France tente d'obtenir par la force le paiement des réparations. Un dessinateur de l'époque, Damblans, a imaginé les généraux Degoutte et Henrys (entourés de représentants belge et italien) allant se « servir à la source » (*Le Pèlerin*, 28 janvier 1923).
(Coll. Ch. Le Corre)

LA SOCIÉTÉ DES NATIONS

Le 28 avril 1919, les Alliés concluent le pacte de la SDN. Présenté par le président américain Wilson comme « un règlement permanent pour l'avenir de la paix », il répond à une aspiration profonde des peuples, qui veulent voir dans la guerre de 1914-1918 la « der des ders ». Organisme supranational qui siège à Genève, la SDN est censée étouffer tout conflit dans l'œuf et substituer la coopération et l'arbitrage aux traditionnels rapports de force entre Etats. En fait, ce « club » de pays aux intérêts très souvent divergents, dénué de tout moyen efficace de pression, se révèle impuissant à conjurer les crises des années trente.

LE SAUVETAGE DIFFICILE DE LA S. D. N.

Caricature stigmatisant l'impuissance de la SDN. Le président du Conseil français Pierre Laval, à sa suite Mussolini, l'agresseur impuni de l'Ethiopie, et un Américain, isolationniste, se dirigent vers l'abîme (*Le Pèlerin*, 8 septembre 1935).
(Coll. Ch. Le Corre)

L'occupation militaire de la région industrielle de la Ruhr en janvier 1923 constitue le point culminant de la politique de coercition dont le président du Conseil Raymond Poincaré s'est fait le chantre, destinée à contraindre Berlin à davantage de coopération dans l'épineuse question des réparations, fixées en 1921 à 132 milliards de marks-or, dont 52 % pour la France. L'armée française se heurte à la résistance passive ordonnée par le gouvernement allemand, qui est cependant obligé de revenir à la table des négociations en septembre 1923, asphyxié sur le plan financier.

La politique d'apaisement des années 1920 conduit au départ des troupes françaises d'Allemagne.

(Coll. Barousse)

L'ILLUSION DE LA SÉCURITÉ COLLECTIVE

Ce « dernier épisode militaire de la Grande Guerre » marque la transition avec une période plus apaisée, dominée par les figures du ministre français des Affaires étrangères, Aristide Briand, et de son homologue allemand, Gustav Stresemann. Le postulat est simple : l'Allemagne n'est pas en mesure de payer la somme exorbitante exigée d'elle ; il faut donc trouver des aménagements (plans Dawes en 1924 puis Young en 1929). La grande dépression qui frappe de plein fouet l'économie allemande dès 1930 entraînera l'abandon de facto du principe même des réparations en 1932.

Cependant, la politique de Briand et de Stresemann se veut beaucoup plus ambitieuse. La conférence de Locarno en octobre 1925 amorce la politique de détente entre les deux ennemis d'hier. L'Allemagne y reconnaît définitivement ses frontières

Couverte de cimetières, la France cherche en vain un second souffle démographique au cours de l'entre-deux-guerres.

(Coll. Ch. Le Corre)

occidentales. Le « pacte rhénan » signé à cette occasion inaugure la « pactomanie » caractéristique de l'entre-deux-guerres. Le pacte Briand-Kellog (du nom du secrétaire d'Etat américain de l'époque) qui, en août 1928, déclare la guerre « hors la loi » constitue l'apogée de cette politique aussi généreuse qu'utopique. Entre-temps, l'Allemagne a été admise à la SDN grâce au parrainage de la France (1926). Briand évoque même l'idée d'une « fédération européenne » et s'écrie à la tribune de la SDN : « Arrière les fusils, les mitrailleuses, les canons ; place à la conciliation, à l'arbitrage, à la paix ! » Avec Stresemann il partage le prix Nobel de la paix en 1926. On parle « d'esprit de Genève ».

Si la bonne foi – et la naïveté – de Briand ne fait guère de doute, il se veut aussi réaliste : « Je fais la politique de notre natalité », déclare-t-il à ses détracteurs. L'écart démographique entre l'Allemagne et la France ne cesse en effet de croître car la baisse du taux de natalité se poursuit en France. Si la population continue d'augmenter faiblement, c'est uniquement grâce à un recours massif à l'immigration : 2 454 000 étrangers sur 41 906 000 habitants en 1936, plus du double de ce qu'ils étaient en 1911, dont l'assimilation ne se fait pas toujours sans difficultés, bien qu'une loi de 1927 facilite leur accession à la nationalité française.

Les motivations de Stresemann apparaissent tout autant empreintes de pragmatisme. En « finassant » avec les Français – mot qui fit scandale –, il a réussi à obtenir le retour de son pays dans le concert des nations. Son succès ouvre désormais la voie à une contestation plus agressive du traité de Versailles par l'Allemagne, aiguisée par la pression sociale et politique provoquée par la crise mondiale et bientôt lourde de menaces avec l'accession de Hitler au pouvoir.

UNE SOCIÉTÉ FRANÇAISE MALADE

Dès 1932, la production industrielle française a chuté d'un tiers, l'agriculture (40 % de la population active) connaît de grandes difficultés ; on compte 300 000 chômeurs et 1 million de salariés en chômage partiel. Les politiques gouvernementales successives s'avèrent impuissantes à rétablir la situation. La France, touchée plus tardivement que la plupart des pays industrialisés par la grande dépression, l'est aussi plus insidieusement et plus durablement. La crise avive les contradictions intérieures d'une société qui avait su préserver un certain équilibre depuis 1919, au contraire de ses voisins italien et allemand. Dans les années trente, ce sont les Ligues qui

Dans l'entre-deux-guerres, l'automobile commence lentement à se démocratiser. Les quarante heures et les congés payés instaurés par le Front populaire donnent aux Français l'occasion de partir à la campagne (ici en Saône-et-Loire).
(Coll. Moreil)

LES FRANÇAIS
ET LA GUERRE D'ESPAGNE

Le 17 juillet 1936, un coup d'État militaire a lieu en Espagne contre le gouvernement légal de Front populaire. Le pays est vite divisé entre républicains et nationalistes du général Franco.

De ce côté-ci des Pyrénées, chaque famille de pensée voit le conflit espagnol comme dans une sorte de miroir où se reflètent ses propres contradictions. La droite, naturellement solidaire des catholiques persécutés par les « rouges », s'émeut cependant des exécutions massives perpétrées par les troupes franquistes, et surtout de celles de prêtres basques. La gauche offre elle aussi un visage très contrasté. Si les radicaux prennent rapidement leurs distances vis-à-vis des républicains espagnols, trop marxistes, les communistes leur apportent un soutien actif. La plupart des intellectuels s'engagent du côté des gouvernementaux, tel André Malraux qui met sa plume comme son épée au service de la République.

Le gouvernement Blum, craignant à la fois d'être précipité dans une guerre civile en France et entraîné dans un conflit européen, se rallie au principe de la non-intervention (28 août 1936). En réalité, dans un premier temps, il livre secrètement des armes aux républicains et tolère le transit à travers le territoire de milliers de volontaires français et étrangers, pour l'essentiel communistes, qui constituent en Espagne les « Brigades internationales » (à mettre en regard avec les quelques dizaines de Français qui combattent dans les rangs franquistes au sein de la « Bandera Jeanne d'Arc ») ; mais sous la pression britannique, il se cantonne vite à une neutralité bienveillante à l'égard du Front populaire espagnol.

La victoire des nationalistes (1er avril 1939) voit affluer en France des centaines

Réfugiés espagnols
(*Le Pèlerin*, 12 février 1939)
(Coll. Ch. Le Corre)

cristallisent une bonne part du mécontentement (Action française, Jeunesses patriotes, Faisceau, Croix de feu, Francisme, Solidarité française).

Néo-monarchistes, bonapartistes ou républicains partisans d'un exécutif fort – rarement fascistes –, les ligueurs inquiètent les forces de gauche à l'heure où les scandales politico-financiers se multiplient. La sanglante soirée du 6 février 1934, qui voit la police réprimer sans ménagements une manifestation organisée par l'extrême droite contre « les voleurs », semble résonner comme un avertissement. Les gauches se rapprochent désormais sur le thème fédérateur de « l'antifascisme ». Le 4 juin 1936, Léon Blum forme un cabinet de « Front populaire », avec des radicaux et des socialistes (SFIO), soutenu par les communistes (SFIC). Si elle suscite un immense espoir chez beaucoup d'ouvriers, d'employés et dans une frange de la paysannerie et du monde intellectuel, cette coalition inédite accroît les craintes de ceux qui redoutent le « péril rouge ».

Les Français, au milieu des années trente, apparaissent donc beaucoup plus profondément divisés qu'à la veille de la Grande Guerre. Aux traditionnels antagonismes politiques et religieux ressurgis avec force s'ajoutent des haines sociales exacerbées par la crise et surtout l'absence – du moins le fort recul – d'une idéologie fédératrice et transcendante, rôle tenu par le patriotisme vingt-cinq ans plus tôt.

LES TAMBOURS DE GUERRE

C'est dans ce contexte trouble à l'intérieur que la situation internationale devient de plus en plus tendue. La disparition de Stresemann (1929) puis celle de

de milliers de réfugiés républicains, civils et militaires. Si les conditions d'accueil sont souvent difficiles dans les camps où on les interne, ils doivent en tout cas à la France d'avoir pu survivre à la misère ou aux représailles. On retrouvera certains d'entre eux dans la Résistance.

Avec le recul, la guerre d'Espagne apparaît pour les Européens – pour les Français en particulier, qui se sont retrouvés aux premières loges – comme un sinistre prologue au second conflit mondial.

Au Boulou, un premier repas chaud est servi aux réfugiés sous la surveillance de gendarmes et de gardes mobiles (*Le Pèlerin*, 12 février 1939).
(Coll. Ch. Le Corre)

FRANÇAIS: *Au rata.*

inscrite à l'avance dans une quelconque « logique de l'histoire ». Mais en octobre 1935, il attaque l'Ethiopie, et la France et la Grande-Bretagne ne peuvent faire moins que d'apporter leur caution morale à la victime. Mécontent, Mussolini se tourne vers Hitler : en octobre 1936, l'axe Rome-Berlin devient une réalité.

De son côté, Hitler réclame désormais avec véhémence le droit de « protéger » les minorités allemandes d'Europe centrale et orientale. Le 13 mars 1938, au lendemain de l'entrée des troupes allemandes dans Vienne, il proclame l'*Anschluss* (réunion de l'Autriche à l'Allemagne), puis il exige l'annexion des Sudètes, Allemands de Tchécoslovaquie. Cette fois l'affaire menace de dégénérer en guerre européenne.

Malgré les coups de dés successifs de Hitler, l'armée française reste passive et se contente d'une routinière vie de caserne (*Le Pèlerin*, 15 septembre 1935). (Coll. Ch. Le Corre)

Signature des accords de Munich au Führerhaus dans la nuit du 29 au 30 septembre 1938. Daladier entre Hitler et Goering (*Le Pèlerin*, 9 octobre 1938). (Coll. Ch. Le Corre)

Briand (1932) clôturent une phase de l'histoire des relations internationales. La radicalisation politique outre-Rhin et l'effacement rapide du complexe de « nation sous tutelle » de l'Allemagne conduisent à une nouvelle escalade. La France mais aussi la Grande-Bretagne s'engagent alors, par peur de l'affrontement, dans une politique de renoncements successifs.

En janvier 1935, grâce à une habile propagande, Hitler remporte haut la main le plébiscite organisé en Sarre. Dans la foulée, il rétablit, en violation du traité de Versailles, le service militaire obligatoire (mars 1935). Sans réagir autrement qu'en vaines paroles, la France compte sur la Petite Entente (Roumanie, Yougoslavie et Tchécoslovaquie), son « alliance de revers », et signe un traité avec Staline (mai 1935). Totalement inefficace pourtant, puisqu'il n'est assorti d'aucune convention militaire, il fournit au contraire à Hitler le prétexte pour remilitariser la Rhénanie (mars 1936).

L'inertie de la France, cette fois encore, achève de la décrédibiliser. L'Italie, notamment, se rapproche irrésistiblement de l'Allemagne. L'hostilité du Duce à l'encontre des démocraties libérales n'était pas

Les bonnes blagues

— Dis donc, camarade Adolf, et le pacte antikomintern ?!...
— Camarade Staline, et le pacte de non-agression ?!...
— Vieux farceur !... Les pactes, les principes, les convictions ; c'est pour les imbéciles !...

Le 23 août 1939, le pacte germano-soviétique, signé entre les deux régimes totalitaires, sonne le glas des derniers espoirs de paix. La veillée d'armes durera à peine plus d'une semaine, jusqu'au 1er septembre (*Le Pèlerin*, 22 octobre 1939).

(Coll. Ch. Le Corre)

qui va se révéler éphémère. « Nous ne pouvons à nos frais offrir au monde une bataille de la Marne tous les vingt ans » : le mot de Louis Marin, l'un des ténors de la droite, résume l'opinion de beaucoup de Français. A son retour Daladier est accueilli comme « le sauveur de la paix » par la majeure partie de l'opinion, à l'exception d'un groupe hétéroclite d'« antimunichois », qui lui reproche de s'être laissé berner par Hitler et auquel l'avenir immédiat va donner raison.

Le chancelier allemand, qui à l'entendre n'avait plus aucune revendication territoriale à formuler, occupe en effet la Bohême-Moravie dès le 15 mars 1939 et le territoire lituanien de Memel le 22 mars. Insatiable, il évoque quelques jours plus tard le retour à la « mère patrie » de la ville-libre de Dantzig enclavée en territoire polonais. Cette fois les démocraties semblent sortir de leur torpeur. Hitler n'osera jamais affronter la coalition des Franco-Britanniques, de la Pologne et de l'URSS, estime-t-on avec raison dans les chancelleries. C'est alors que se produit l'impensable : Staline et Hitler concluent un pacte de non-agression le 23 août 1939, en fait un traité de partage de l'Europe centrale et orientale.

Hitler a désormais les mains libres à l'Est : il exige alors le rattachement au Reich non seulement de Dantzig, mais aussi du « corridor » qui coupe la Prusse en deux depuis 1919, et de la Haute-Silésie. Devant le refus du gouvernement polonais de céder à ces injonctions, la *Wehrmacht* entre en Pologne le 1er septembre 1939. Le 3 septembre, prenant enfin leurs responsabilités après quatre années de tergiversations et de reculades, Londres et Paris se déclarent en état de guerre avec l'Allemagne. Le second conflit mondial vient de commencer.

A l'automne de 1938, la France et la Grande-Bretagne procèdent à une mobilisation partielle. Une « conférence de la dernière chance » est organisée à Munich. Le 29 septembre, le Français Daladier et le Britannique Chamberlain cèdent à toutes les exigences de Hitler, ou peu s'en faut. La Tchécoslovaquie est sacrifiée à la lâche tranquillité des grands Etats démocratiques,

La « DRÔLE DE GUERRE »

Un « produit dérivé » généré par la guerre : cendrier en faïence de Quimper portant les drapeaux des trois alliés (France, Royaume-Uni, Pologne) et une prière à sainte Anne, patronne de la Bretagne.
(Coll. Ch. Le Corre)

Page de gauche :
Deux guetteurs français à un créneau de première ligne sur la rive du Rhin (*Le Miroir*, 10 mars 1940).
(Coll. Ch. Le Corre)

En septembre 1939, deux possibilités s'offrent au haut commandement français : soit mener une vigoureuse offensive par-dessus la ligne Siegfried en direction des grandes villes d'Allemagne occidentale pour gêner les opérations de la *Wehrmacht* contre la Pologne, soit se retrancher derrière sa ligne de défense et se contenter de fixer les forces adverses. C'est la seconde solution que choisit le généralissime Gamelin.

SEPTEMBRE 1939 : UNE FRANCE TIMORÉE

Pendant que les 5 millions de mobilisés gagnent les casernes sans grand enthousiasme à partir du 1er septembre, mais sans défections notables non plus, l'opinion publique française suit jour après jour l'écrasement de la courageuse armée polonaise. Pris en tenaille entre les forces de Hitler et de Staline, les Polonais se défendent avec l'énergie du désespoir jusqu'au 2 octobre. L'état-major allemand vient d'appliquer avec succès le *Blitzkrieg* (guerre éclair), qui combine l'attaque massive de divisions blindées et l'action offensive de l'aviation (*Luftwaffe*). Cette efficace tactique fait de la part des observateurs français présents en Pologne l'objet de nombreux rapports, restés en grande partie lettre morte.

MAURICE GAMELIN (PARIS, 1872-1958)

Jeune officier d'état-major en 1914, Gamelin est l'un des principaux collaborateurs de Joffre au GQG au moment de la bataille de la Marne. Général de brigade dès 1916, il entre au Conseil supérieur de la Guerre en 1931, avant de devenir commandant en chef des armées alliées en France (2 septembre 1939), poste où il s'avère très en dessous de sa tâche et où il est remplacé au moment de l'invasion. Emprisonné en septembre 1940, il comparaît au procès de Riom (1942) puis il est interné. Finalement déporté en Allemagne (1943), il est délivré par les Américains le 5 mai 1945.

Maurice Gamelin, généralissime des armées françaises (*La Semaine*, 14 juin 1942).
(Coll. Ch. Le Corre)

LES INTERNÉS CIVILS

Comme en 1914 – et comme cela se fait chez tous les belligérants en 1939-45 –, la France place les étrangers appartenant aux nations ennemies dans des « camps de concentration » dès la déclaration de guerre. En fait camps d'internement, beaucoup avaient déjà accueilli les républicains espagnols, (comme celui de Rieucros en Lozère). Il s'agit d'éviter que ces étrangers ne soutiennent d'une manière quelconque l'effort de guerre de leurs compatriotes. Le mélange de catégories de population très différentes caractérise ces dépôts où se côtoient des réfugiés politiques allemands et autrichiens, souvent juifs, des nazis, des détenus de droit commun. L'une des plus grandes félonies du gouvernement de Vichy fut de livrer au vainqueur en 1940 beaucoup de ceux qui avaient cru trouver asile en France depuis 1933.

Casque de la défense passive.
(Centre d'Etudes Edmond-Michelet, Brive-la-Gaillarde)

Masque à gaz.
(Centre d'Etudes Edmond-Michelet, Brive-la-Gaillarde)

La France n'a pratiquement rien fait pour secourir son alliée orientale, se contentant de donner asile à son gouvernement, qui s'installe à Angers, où il restera jusqu'en juin 1940. Les 5e et 6e armées françaises lancent seulement une petite opération dans la forêt de la Warndt, vers Sarrebruck, le 8 septembre. Les 16 et 17 octobre, l'armée allemande, renforcée d'éléments revenus de Pologne, les reconduit au-delà de leurs

La guerre s'invite – timidement – dans la vie quotidienne des Parisiens : l'ami des pigeons du square de la Trinité muni de sa boîte à masque à gaz (*Le Miroir*, 12 septembre 1939).
(Coll. Ch. Le Corre)

Ici, Radio-Munich... Radio-Stuttgart...

« ... De votre calme et de votre prudence devant ces voix ennemies, de votre intelligence à les dégager des autres, de votre souci à ne pas les propager dépend le calme du pays, c'est-à-dire son salut. »

Jean Giraudoux.

ATROCITÉS POLONAISES

LES ANGLAIS OBLIGENT LA FRANCE A FAIRE LA GUERRE.....

PANNE GÉNÉRALE DES AUTOS A PARIS...

LA HOLLANDE MASSACRÉE

50000 CANARDS...

Dans les années 1930, la radio (TSF) équipe de nombreux foyers français, désormais perméables à la propagande, ennemie comme amie (*Le Pèlerin*, 1er octobre 1939).
(Coll. Ch. Le Corre)

bases de départ, les obligeant même à évacuer Forbach (Moselle). Puis le front entre en hibernation.

De son côté, la société française s'installe dans la guerre sans trop y croire. Les exercices obligatoires de la défense passive apparaissent presque comme un jeu.

Avec « l'espionnite » et la peur de la « 5e colonne », la multiplication des fausses alertes finit par laisser penser que la vraie bataille n'aura jamais lieu. Pour près de 2 millions d'« affectés spéciaux » la vie continue presque comme en temps de paix, à l'usine ou au bureau.

SEPT MOIS D'ATTENTE
SUR LA LIGNE MAGINOT

La ligne de fortifications qui couvre les frontières orientales de la France illustre parfaitement le changement de stratégie qui s'est opéré entre 1914 et 1939 : de l'offensive à tous crins l'armée française est passée à l'absolue défensive. A l'abri des fortifications, la France sera en sécurité tout en économisant ses soldats, du moins veut-on le croire. Pourtant, en 1937, la Belgique a abandonné l'alliance française : la ligne Maginot laisse donc béante la frontière nord, entre Sedan et la mer, où sont à peine esquissées des fortifications

Contrairement à ce qui s'était passé en 1914, le système des permissions est vite organisé en 1939 (*Le Pèlerin*, 17 décembre 1939).
(Coll. Ch. Le Corre)

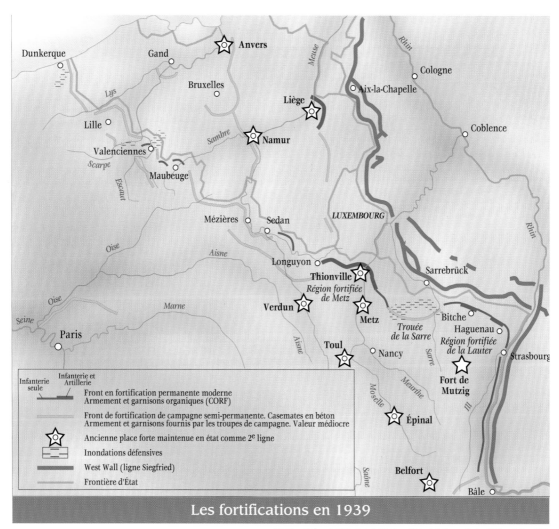

Les fortifications en 1939

D'après : Pedroncini (Guy) *et al.*, *Histoire militaire de la France*, Paris, 1992, vol. 3, p. 367.

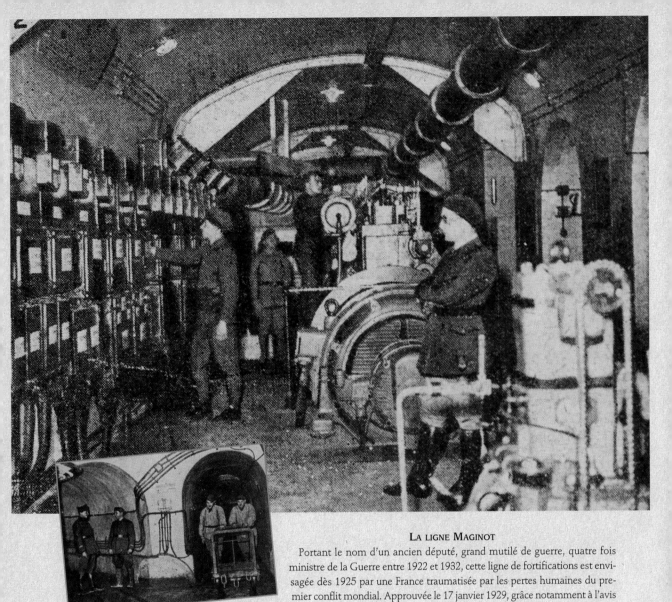

Les entrailles de la « grande muraille ».
La ligne Maginot et ses multiples galeries
et installations souterraines
(*Le Pèlerin*, 7 janvier 1940).
(Coll. Ch. Le Corre)

LA LIGNE MAGINOT

Portant le nom d'un ancien député, grand mutilé de guerre, quatre fois ministre de la Guerre entre 1922 et 1932, cette ligne de fortifications est envisagée dès 1925 par une France traumatisée par les pertes humaines du premier conflit mondial. Approuvée le 17 janvier 1929, grâce notamment à l'avis d'experts tels que le maréchal Pétain, sa construction s'étale jusqu'en 1936. Elle comprend 58 ouvrages le long de la frontière du Nord et du Nord-Est, des Ardennes à la frontière suisse, et 50 face à l'Italie dans les Alpes, mais ne s'étend pas jusqu'à la mer du Nord car le Conseil supérieur de la Guerre a considéré en 1932 les Ardennes comme « infranchissables » et la Belgique comme une alliée.

de campagne. C'est que l'état-major veut conserver là une aire de manœuvre en cas d'attaque allemande.

Cette éventualité ne semble pourtant pas à l'ordre du jour : Hitler propose la paix à ses adversaires occidentaux le 6 octobre 1939. Est-ce pour endormir leur méfiance, démotiver leurs troupes et mieux les terrasser en 1940, ou alors parce qu'il recherche déjà une alliance contre l'URSS ? Ne pouvant accepter un arrangement qui se ferait sur le cadavre de la Pologne, les Alliés rejettent ses propositions. Alarmés par l'impressionnante démonstration de puissance de la *Wehrmacht,* ils s'efforcent d'augmenter leur production d'armement (leurs chars et leurs avions sont certes de bonne qualité, mais les armes les plus modernes, d'ailleurs en trop petit nombre, dorment

de la Syrie ne reçoivent pas non plus le moindre début d'application.

Tandis que les troupes britanniques débarquent en France, les Français et les Allemands, immobiles sur leurs positions respectives, se contentent d'une économe guerre de positions. Le ciel est le théâtre d'une activité pratiquement réduite aux reconnaissances. Se refusant à des bombardements stratégiques sur les villes industrielles allemandes par crainte de représailles, les Alliés comptent sur le blocus des côtes ennemies – pourtant peu étanche car mal organisé – pour asphyxier leur adversaire, comme en 1914-1918 : toujours une guerre de retard…

Désœuvrés, les mobilisés s'enfoncent dans une routine dangereuse, jouant aux cartes toute la journée et « gambergeant ». Maurice Chevalier est appelé à la rescousse pour distraire les troupes et le commandement fait planter des rosiers sur les fortifications. Certains s'occupent à orner les murs de véritables fresques, comme au Simserhof, en Moselle. Dans ses tracts, la propagande allemande ne manque

La cathédrale de Reims, martyrisée par les obus allemands en 1914-1918, a solennellement fêté sa résurrection en juillet 1938. A peine un an plus tard, la voici protégée par des sacs de sable contre d'éventuels nouveaux outrages (*Le Miroir*, 28 janvier 1940).
(Coll. Ch. Le Corre)

parfois à l'arrière alors que les unités en ligne sont équipées de matériel périmé). Ils se tournent également vers l'étranger. Le 4 novembre, les Etats-Unis abrogent l'interdiction d'exporter du matériel chez les belligérants, qui doivent toutefois le payer comptant et en assurer le transport (*Cash & Carry*). Cette clause semble faite sur mesure pour des Alliés qui espèrent arriver à la maîtrise des mers, en dépit des attaques de la *Kriegsmarine*.

Se rappelant à juste titre la part de l'armée de Salonique dans la victoire de 1918, Français et Anglais s'emploient aussi à créer des « fronts secondaires » contre l'Allemagne. Dès juillet 1939, le général Weygand est chargé de provoquer l'intervention de la Yougoslavie, la Roumanie, la Grèce et la Turquie dans une guerre éventuelle. Mais, en dépit d'une conférence à Belgrade en février 1940, la coalition orientale ne verra jamais le jour. Les projets de bombardement des puits de pétrole du Caucase par l'aviation française à partir

L'armée britannique prend elle aussi progressivement position sur le front. Les tommies ne se départissent pas de leur humour bien connu (*France Magazine*, 12 mars 1940).
(Coll. Ch. Le Corre)

Scène typique de la « drôle de guerre » : sur un front très calme, à quelques pas du canon de DCA, les soldats jouent à la belote en s'amusant à porter leurs masques à gaz (*Le Miroir*, 29 octobre 1939).

(Coll. Ch. Le Corre)

évidemment pas de souligner à destination du « combattant » d'en face l'inanité de la mission qui lui est imposée, pendant que les pacifistes français affirment que l'on se bat « pour les deux cents familles et le roi d'Angleterre ». Voilà en quoi consiste ce que l'écrivain Roland Dorgelès (l'auteur des *Croix de bois*) qualifie en octobre 1939 de « drôle de guerre ».

Une fois la Pologne asservie, Hitler a pu ramener soixante divisions à l'Ouest et il concentre ses blindés autour de Trèves. L'industrie de guerre allemande bénéficie désormais de l'appoint de la houille et de l'acier de la Silésie polonaise. Rassuré du côté de l'Union soviétique, l'Allemagne n'a plus rien à redouter à l'Est. Le nouveau théâtre scandinave ne distrait qu'une faible partie de son potentiel militaire. Elle peut donc consacrer la majeure partie de ses forces au front occidental.

Embarquement des chasseurs alpins du corps expéditionnaire français pour Narvik (avril 1940) (*Le Miroir*, 5 mai 1940).

(Coll. Ch. Le Corre)

L'EXPÉDITION DE NORVÈGE

La France se passionne pour la résistance inattendue du peuple finlandais, agressé le 30 novembre 1939 par l'URSS. Londres et Paris imaginent de tendre la main à la Finlande par la Norvège pour couper du même coup la route du fer suédois à Hitler. Mais les deux Etats scandinaves s'opposent au passage des troupes franco-britanniques à travers leur territoire et le 13 mars 1940 la Finlande succombe.

Moins d'un mois plus tard, la Wehrmacht envahit le Danemark et la Norvège (9 avril). Cette fois le gouvernement d'Oslo réclame l'envoi d'un corps expéditionnaire franco-polono-britannique. Comprenant notamment les légionnaires du général Béthouart, il réussit à prendre le port de Narvik, la porte des exportations de fer vers l'Allemagne ; mais les événements de France le forcent aussitôt à l'évacuer (7 juin). Seule application concrète de la « stratégie périphérique », la campagne de Norvège aurait pu considérablement gêner les Allemands, qui ne lui laissèrent pas le temps de se développer. Elle leur révéla au contraire l'état d'impréparation des Alliés.

Page de gauche :
Des civils belges fuyant les combats sont pris en charge par un sous-officier de la police routière française (*Le Miroir*, 26 mai 1940).
(Coll. Ch. Le Corre)

Onze fois au cours de l'automne et de l'hiver de 1939-1940 Hitler a donné l'ordre d'attaquer à l'Ouest, mais chaque fois le mauvais temps, puis l'invasion du Danemark et de la Norvège, l'ont conduit à ajourner l'opération. En mai 1940, toutes les conditions d'une offensive de grand style sont enfin réunies.

Sur le champ de manœuvre, les légionnaires tchécoslovaques s'exercent au combat. Les voici prenant une position de défense, au bord d'une tranchée. Les Tchèques ont la réputation d'être d'incomparables tireurs. (22.1/4.)

Armée d'un gouvernement en exil, les légionnaires tchécoslovaques participent, comme les Polonais, à la défense de la France en mai-juin 1940 (*France Magazine*, 12 décembre 1939).
(Coll. Le Corre)

LE RAPPORT DES FORCES

Au 10 mai 1940, l'Allemagne aligne 114 divisions à l'Ouest (avec 23 autres en disponibilité différée), dont 10 divisions blindées, 6 mécanisées et 46 d'infanterie active. La France – qui a intégré dans ses forces environ 100 000 combattants tchécoslovaques et polonais – lui oppose 94 divisions, dont 3 blindées seulement (plus une en voie de constitution). Sept autres sont affectées à la défense des Alpes, 8 à celle de l'Algérie, 3 au Levant et 3 distraites en Norvège. L'autorité du généralissime Gamelin n'est pas même fermement établie sur l'aviation et sur la marine, fiefs respectifs du général Vuillemin et de l'amiral Darlan.

Les Britanniques ont réussi à envoyer 10 divisions sur le continent (et pratiquement tous leurs cadres, qu'ils entendent ménager), auxquelles s'ajoutent bientôt 22 divisions belges et 9 néerlandaises. Si, du côté allemand, le Führer impose sa volonté, l'unité de commandement effective n'existe pas entre Français et Anglais, et encore moins avec les Belges et Néerlandais neutres. Les Alliés en sont réduits à attendre que l'ennemi prenne une initiative pour pouvoir réagir, au prix de la perte d'un temps précieux au moment où ils se porteront au-devant de lui à travers la Belgique.

Les Allemands disposent donc d'un incontestable avantage de départ : ils peuvent frapper où et quand ils le désirent. Leur plan prévoit, comme en 1914, une invasion de la Belgique, complétée cette fois par celle du sud des Pays-Bas (groupe d'armée « B » du général von Bock), afin d'atteindre la France par un vaste mouvement enveloppant. Parallèlement, le groupe « C » (Leeb) est chargé de la garde sur la frontière de la Sarre-Palatinat et du Rhin. L'effet de surprise ne réside pas dans cette manœuvre attendue, mais dans l'attribution du rôle principal, sur directive du Führer du 18 février 1940, au général von Rundstedt, commandant du groupe « A » (Centre). Son chef d'état-major, Manstein, a proposé d'investir à fond la trouée de Sedan, espace vide entre la ligne Maginot au sud et la partie mobile des forces franco-britanniques au nord. Hitler croit possible de franchir le massif boisé des Ardennes avec des unités mécanisées. Ainsi serait forcée la porte de la France.

LA PERCÉE ALLEMANDE DANS LES ARDENNES

C'est à Paul Reynaud, qui a succédé à Daladier le 21 mars 1940 à la tête d'un gouvernement de coalition, qu'il revient de faire face au déferlement ennemi. Resté célèbre pour ses formules destinées à galvaniser les Français (« Nous vaincrons parce que nous sommes les plus forts »), le nouveau président du Conseil essaie vainement d'opérer des changements au sein du haut commandement militaire et d'accélérer l'achat et la production d'armements. Sur son initiative la France et la Grande-Bretagne s'engagent à ne conclure aucun armistice ni aucune paix séparée (28 mars). Pourtant, malgré la politique à mettre à son crédit, Reynaud, comme tout le monde, est surpris par l'ampleur de l'offensive du 10 mai 1940.

Précédé par des largages de parachutistes sur des points stratégiques, l'assaut allemand contre les Pays-Bas entraîne la fuite de la reine et du gouvernement en Angleterre dès le 13 mai, tandis que le surlendemain

Le « bon vieux 75 », qui va bientôt fêter son cinquantième anniversaire, ne suffit plus à toutes les tâches à l'heure de la guerre aérienne et motorisée (*Le Miroir*, 10 décembre 1939). (Coll. Ch. Le Corre)

PAUL REYNAUD
(BARCELONNETTE, 1878-PARIS, 1966)

Avocat, député républicain de droite, plusieurs fois ministre, il est notamment en charge des Finances dans le gouvernement Daladier (1938). Nommé président du Conseil en mars 1940, c'est l'un des concepteurs de l'expédition de Narvik. Ayant remplacé Gamelin par Weygand, il prend lui-même le portefeuille de la Défense nationale avant de nommer Pétain vice-président du Conseil, puis de lui céder la place au moment de la débâcle (16 juin 1940), après avoir vainement tenté d'imposer la poursuite des combats. Interné par les autorités de Vichy, puis déporté en Allemagne, il est réélu député après la guerre (1946-1962).

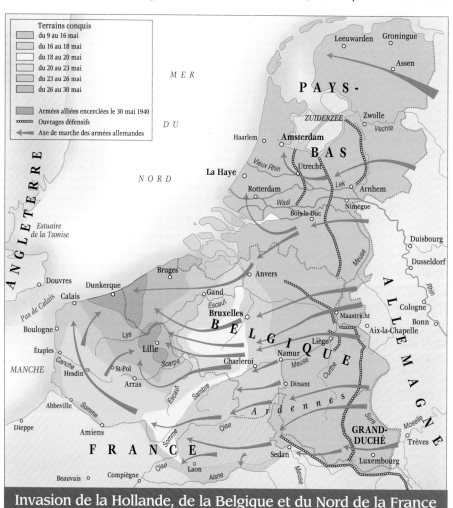

Invasion de la Hollande, de la Belgique et du Nord de la France

D'après : Barroux (Robert), *Histoire générale illustrée de la Deuxième Guerre mondiale*, Paris, Quillet, 1947, vol. 1, hors texte.

'nous vaincrons parceque nous sommes les plus forts'

SOUSCRIVEZ AUX BONS d'ARMEMENT

Pour vaincre l'Allemagne, la France compte sur son empire et sur celui de son alliée britannique, aux réserves inépuisables.

(Centre d'Etudes Edmond-Michelet, Brive-la-Gaillarde)

l'armée néerlandaise cesse partout la lutte, sauf en Zélande. Le Luxembourg est submergé le 12 mai. En Belgique les combats prennent un caractère plus acharné, spécialement à Louvain et à Gembloux (15 mai). Cependant, en de nombreux endroits, l'indispensable coordination des efforts belges et français s'effectue très mal, parce que trop tardive et non préparée.

C'est notamment le cas au nord de Sedan, où les chasseurs ardennais se retirent avant l'arrivée des Français, laissant, sans le vouloir, la voie libre à Rundstedt. Les *Panzer* paraissent devant la ville le 12 mai, avec deux jours d'avance sur les estimations les plus optimistes du commandant du XIXe corps d'armée blindé placé en fer de lance, le général Guderian. Au général Huntzinger et à la 2e armée française revient la lourde tâche de défendre le « verrou » des Ardennes. Mal utilisés, souvent mal commandés, parfois victimes de débandades soudaines, ses éléments éparpillés cèdent le 15 mai. Les Allemands s'engouffrent aussitôt dans la brèche, exploitant leur avantage en dépit de la défense courageuse de la 4e division cuirassée du colonel de Gaulle, fraîchement constituée. Le 20, ils sont maîtres d'Amiens et foncent sur Abbeville où ils atteignent la mer. Aventuré en Belgique, le groupe des armées alliées du Nord est désormais coupé du reste des forces françaises.

Plutôt que le manque de matériel, c'est son emploi effectif par l'armée française qui s'est révélé inadapté au cours de cette

CHARLES DE GAULLE
(LILLE, 1890-COLOMBEY-LES-DEUX-EGLISES, 1970)

Sorti de Saint-Cyr en 1912 en même temps que le futur maréchal Juin, le lieutenant puis capitaine de Gaulle est blessé plusieurs fois au cours de la Grande Guerre avant d'être fait prisonnier à Douaumont en 1916 ; il tente ensuite de s'évader sans y parvenir. Après avoir servi dans la mission militaire française en Pologne, puis au Levant, il se fait connaître par ses théories qui prennent le contre-pied de celles des « grands chefs ». Préconisant l'action combinée des chars et des avions dans une guerre de mouvement, il est contredit par Pétain, partisan de la fortification permanente, mais soutenu par Reynaud. En 1939, il commande à Metz le 507e régiment de chars de combat.

Escadrille britannique
dans le ciel de France
(*Le Pèlerin*, 26 mai 1940).
(Coll. Ch. Le Corre)

En dépit des précautions prises pour les camoufler,
beaucoup d'avions de chasse français sont détruits
au sol dès le début de l'offensive, le 10 mai 1940
(*Le Miroir*, 22 octobre 1939).
(Coll. Ch. Le Corre)

campagne éclair. Si les Franco-Britanniques disposent de 2 280 chars modernes en mai 1940 contre 2 800 pour les Allemands (au point de vue qualitatif les engins se valent à peu près), ils n'en alignent en réalité que 1 520 contre 2 600 sur le terrain. Au point crucial de la bataille dans les Ardennes, les sept divisions de *Panzer* allemandes sont seules face à des forces presque dépourvues de tout blindé. Surtout, les Allemands considèrent leurs divisions blindées comme des épées capables de percer le front et d'organiser suffisamment le terrain conquis dans l'attente de l'infanterie, tandis que les Français persistent à utiliser les chars en soutien de l'infanterie, les disséminant dans les unités.

La même différence dans l'utilisation de l'aviation explique elle aussi les insuccès français : dispersés au sein des armées, la plupart des appareils agissent en groupes trop faibles pour contrer l'emploi massif de leurs avions pratiqué par les Allemands en combinaison avec les chars. Dans ce domaine, les Alliés sont de surcroît largement surclassés en nombre, avec environ 1 000 appareils français (dont beaucoup ont été détruits au sol dès le 10 mai car la *Luftwaffe* possède surtout une écrasante supériorité numérique dans le domaine des bombardiers) et 350 britanniques contre 3 600 allemands.

MAXIME WEYGAND (BRUXELLES, 1867-PARIS, 1965)

Né de parents inconnus (certains ont voulu voir en lui un fils naturel du roi des Belges Léopold II), il est naturalisé Français et entre dans la cavalerie. Chef d'état-major du général Foch en 1914, promu général de brigade en 1916, il dirige en 1920 la mission militaire française en Pologne. Remplaçant Gamelin au pied levé, il s'avère impuissant à redresser la situation. Ministre de la Défense nationale du gouvernement Pétain (16 juin), il est nommé gouverneur général de l'Algérie en septembre 1940, avant d'être rappelé en novembre 1941, puis déporté par les Allemands. Libéré en mai 1945, il est traduit devant la Haute Cour mais lavé en 1948 de toutes les accusations portées contre lui.

Maxime Weygand, nouveau chef d'état-major de la défense nationale et généralissime, protégé par les mânes de Foch. Le vainqueur de 1918 veille sur celui que les Français voudraient voir devenir le vainqueur de 1940. Mais l'histoire ne devait pas se répéter...
(*Le Pèlerin*, 26 mai 1940).

(Coll. Ch. Le Corre)

LA DÉBÂCLE ET L'EXODE

La défaite de Sedan condamne Gamelin, remplacé le 19 mai par Weygand. Deux jours sont perdus pour la « mise en route », alors que les Britanniques, entrevoyant la suite, ne songent plus qu'à préserver leurs forces. A la conférence interalliée d'Ypres le 21 mai, Weygand propose de rétablir un front continu. Mais une série de mésententes, de décisions unilatérales, de coups du sort (comme la mort dans un accident du général Billotte, commandant du groupe d'armées français en Belgique) entravent l'application concrète du plan :

Matériel abandonné à Dunkerque par les troupes britanniques et françaises qui ont réussi à embarquer.

(Document ECPA, extrait de *6 juin 1944, débarquement en Normandie*, par le général Compagnon, Editions Ouest-France, 2000)

le 24 mai, Boulogne-sur-Mer tombe ; le lendemain, les Allemands enfoncent le front belge à Courtrai, ce qui détermine les Britanniques à faire retraite. Le « plan Weygand » est du même coup mort-né.

En dépit d'un demi-succès des blindés des 4e et 2e divisions françaises à Abbeville, l'ensemble du dispositif allié est désormais compromis. Dans la nuit du 27 au 28 mai, le roi des Belges Léopold III, placé dans une situation intenable par le retrait britannique, capitule sans en informer Weygand au préalable. Lille prise le 1er juin, les troupes alliées se trouvent enfermées dans la « poche de Dunkerque ». Du 26 mai au 4 juin, malgré des frictions entre les deux partenaires, des navires réussissent à transporter de l'autre côté de la Manche 225 000 Britanniques et 130 000 Français ; mais un matériel énorme est abandonné sur les plages et les deux divisions françaises qui ont assuré la défense du réduit sont aussitôt capturées par les Allemands.

Tout n'est pas encore perdu, du moins Reynaud et Weygand font-ils mine de le croire. Il s'agit de résister dix jours sur un front allant de la Somme à Montmédy afin de permettre la constitution de deux masses de manœuvre formées de divisions de réserve, puis de contre-attaquer avec cette fois des concentrations de blindés. Ces rêves s'évanouissent rapidement : dès le 7 juin, le front s'effondre ; le 8, les Allemands abordent Soissons, le 9, Rouen ; en Champagne et en Picardie les troupes françaises qui, par endroits, résistent très sérieusement, sont aussi battues.

« Dis papa, on va coucher dans un vrai lit, ce soir ? »
L'exode jette sur les routes
des millions de réfugiés apeurés
dans un désordre indescriptible.
(Coll. Le Corre)

C'est alors que Mussolini porte à la France un véritable « coup de poignard dans le dos ». En septembre 1939, conscient de l'état d'impréparation de son armée, le Duce s'était déclaré « non-belligérant ». Mais, le 10 juin 1940, rassuré sur la tournure des événements, il déclare la guerre à la France, accourant à la curée, ce qui provoque une flambée d'actions italophobes (comme le pillage du consulat d'Italie à Besançon). Les conquêtes de l'armée italienne demeurent pourtant limitées : quelques ouvrages isolés des Alpes et une partie de Menton, en dépit de la disproportion flagrante des forces. La guerre est même portée sur le territoire italien avec une démonstration navale française dans les parages de Gênes le 13 juin.

Le souvenir des exactions allemandes de 1914, l'impression terrifiante produite par le passage des avions, surtout par les bombardements en piqué des *Stukas* équipés de leur fameuse sirène, l'avance rapide des armées d'invasion enfin,

provoquent le départ massif des populations menacées. Ces 8 millions de réfugiés ont été précédés dès 1939 par des évacués d'Alsace-Lorraine, puis par 1,5 million de Belges. L'exode, prenant un caractère irrationnel, jette sur les routes des masses hagardes, affamées, parfois vindicatives, livrées à elles-mêmes (le gouvernement a donné l'exemple de la fuite, gagnant Bordeaux via Tours, comme en 1870 et 1914). Des soldats français en déroute pillent maisons et

Tous les Réfugiés sont priés de respecter rigoureusement les consignes et tenus à observer LA PLUS GRANDE DISCIPLINE

Pour tenter de canaliser le flot des réfugiés, des consignes strictes sont affichées un peu partout... et rarement respectées.
(Centre d'Etudes Edmond-Michelet, Brive-la-Gaillarde)

POPULATIONS abandonnées,
faites confiance AU SOLDAT ALLEMAND!

Face à la « pagaille » généralisée qui a saisi les administrations françaises, le légendaire sens de l'organisation de l'armée allemande sert la propagande de Hitler. Il s'agit ici de la première affiche de propagande allemande placardée (et lacérée) sur les murs de France en 1940. Elle est signée Matjeko.
(Centre d'Etudes Edmond-Michelet, Brive-la-Gaillarde)

Juin 1940 : les troupes allemandes défilent sur les Champs-Elysées. La défaite est consommée.

(Coll. Ch. Le Corre)

magasins avant de s'enfuir, relayés ensuite par des civils, à tel point que l'arrivée des Allemands apparaît en certains endroits comme un soulagement. Au cours de cette gigantesque migration se produisent inévitablement des drames, ainsi lorsque le *Niobé* est coulé en baie de Seine avec 800 personnes à bord (11 juin).

L'accueil des réfugiés dans le Sud et surtout le Sud-Ouest ne peut se faire dans les meilleures conditions. La région de Toulouse voit arriver 10 000 jeunes Belges (la « réserve stratégique de recrutement ») et des milliers de civils du nord de la Loire, qui s'ajoutent aux Espagnols et aux Alsaciens. A Bordeaux, Belges et Luxembourgeois se

présentent dès le 20 mai, suivis par des gens du Nord et des Ardennes : la population double en quelques semaines. Sept départements méridionaux reçoivent plus de 100 000 réfugiés chacun (132 000 par exemple pour l'Hérault, soit 26,6 % de la population), tandis que Tourcoing ne compte plus que 700 habitants.

L'ARMISTICE

Le désordre civil nourrit le désordre militaire, concourant à la paralysie générale de la résistance française. Le 14 juin, les Allemands défilent sur les Champs-Elysées. Ce n'est plus que par groupes

---

15 JUIN 1940 : MORT DU GÉNÉRAL DE COURSON

Âgé de soixante ans et déjà dans la section de réserve, Maurice de Courson est rappelé à l'activité en août 1939 à Lunéville. Le 15 juin 1940, au cours de l'évacuation de ses services vers Dijon, son automobile est mitraillée par un blindé allemand à Arc-lès-Gray, en Haute-Saône. Blessé, le général entend néanmoins diriger la résistance contre l'ennemi, qui commence à investir la localité. Mais à peine a-t-il franchi la porte de la maison où il s'est réfugié qu'il se trouve face à trois soldats de la *Wehrmacht* qui lui ordonnent de lever les bras. Loin de leur obéir, il porte la main à son revolver et il est abattu de plusieurs rafales. Ce geste inutile montre cependant que le panache n'a pas complètement disparu dans l'armée française car son exemple n'est pas unique.

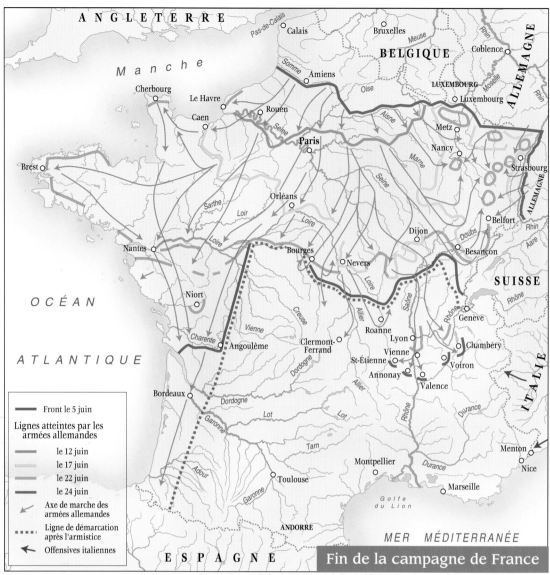

Fin de la campagne de France

Légende de la carte :

- Front le 5 juin

Lignes atteintes par les armées allemandes

- le 12 juin
- le 17 juin
- le 22 juin
- le 24 juin
- Axe de marche des armées allemandes
- Ligne de démarcation après l'armistice
- Offensives italiennes

D'après : Barroux (Robert), *Histoire générale illustrée de la Deuxième Guerre mondiale*, Paris, Quillet, 1947, vol. 1.

isolés que les unités françaises s'opposent à la progression des troupes ennemies ; à l'image des cadets de cavalerie de Saumur sur la Loire, elles font parfois preuve d'une vraie abnégation. Décidé à poursuivre la lutte, Reynaud propose la création d'un « réduit breton », pour conserver la liaison maritime avec les Anglais ; mais ceux-ci rembarquent leurs dernières troupes le 19 juin (l'évacuation de Saint-Nazaire, dans des conditions épouvantables, coûte la vie à des milliers d'hommes). La ligne Maginot résiste à l'attaque du général von Witzleben lancée le 14 juin, mais Cherbourg et Rennes tombent, et les Allemands progressent dans la vallée du

Rhône et dans l'Est : Pontarlier est atteint le 17 juin, Belfort et Nancy le 18, Toul résiste jusqu'au 22 ; le 19, le Rhin est franchi au nord-est de Colmar.

Dès la fin de mai, l'éventualité d'un armistice est évoquée, notamment dans l'entourage du maréchal Pétain, mais énergiquement combattue par Reynaud, Marin et Georges Mandel, ancien collaborateur de Clemenceau. Soutenue par un vieux routier des luttes parlementaires, Pierre Laval, approuvée par Weygand puis Darlan, l'idée fait tout de même son chemin. Le projet d'une union politique entre la France et la Grande-Bretagne, imaginé par quelques Français de Londres (Charles de Gaulle, Jean

Au général Huntzinger, Breton d'origine alsacienne, échoit la redoutable tâche de signer l'armistice du 22 juin 1940. Président de la commission d'armistice de Wiesbaden, il est nommé par Pétain ministre secrétaire d'Etat à la Guerre en septembre 1940. Il trouve la mort dans un accident d'avion quelques mois plus tard (*L'Armée nouvelle*). (Coll. Ch. Le Corre)

Monnet, René Pleven) avec l'assentiment du Premier ministre Winston Churchill, est aussitôt repoussé (le 16 juin) ; le même jour, Reynaud démissionne. Pétain, qui lui succède, demande officiellement l'armistice. Pour le vainqueur de Verdun les conditions d'un retournement de la situation ne peuvent plus être réunies, faute d'hommes et de matériel ; la France est définitivement battue car selon lui il est illusoire de continuer la lutte dans les colonies. « Il faut cesser le combat », annonce-t-il aux troupes le 17 juin. La classe politique presque unanime et l'opinion publique semblent tacitement en convenir, accablées. Seuls vingt-sept

parlementaires choisissent de gagner l'Algérie à bord du paquebot *Massilia*.

Le 21 juin, Hitler reçoit les plénipotentiaires français à Rethondes, dans le wagon de Foch. Au soir du 22 juin, le général Huntzinger signe l'armistice au nom de la France. Le 23, à Rome, un second est signé avec l'Italie. A ce moment, un certain nombre d'ouvrages de la ligne Maginot résistent encore ; le dernier ne se rendra que le 7 juillet. Les 100 000 hommes sacrifiés depuis le début de la campagne sont morts pour rien.

Char lourd français de 32 tonnes abandonné dans la cour d'une ferme pendant la débâcle. (Coll. T. Le Sant).

Groupe de soldats français de l'armée de l'air apparemment contents d'en avoir terminé avec la guerre, malgré les dramatiques conditions du dénouement (29 juin 1940).

(Coll. T. Le Sant).

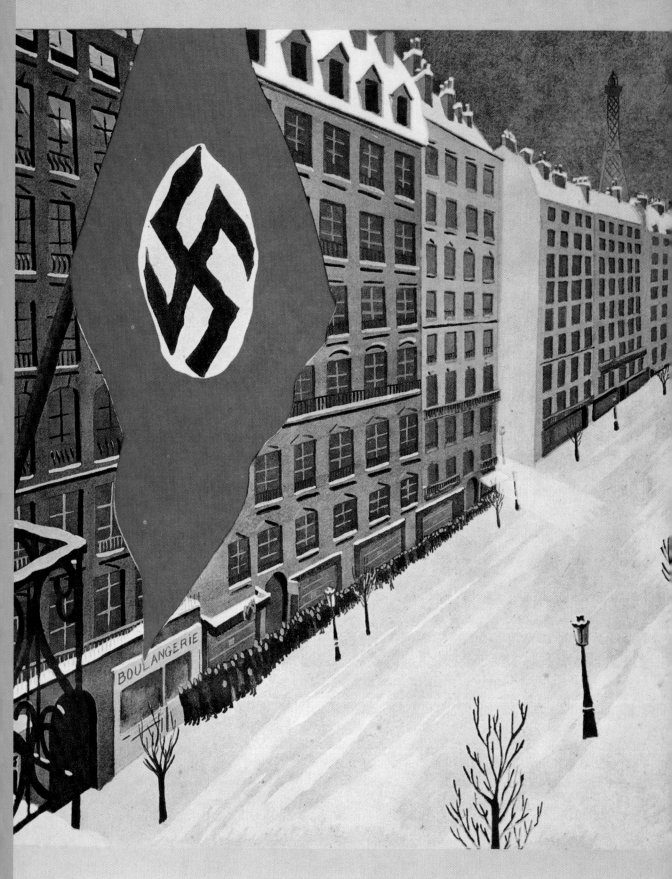

La sixième colonne

LE POIDS DE L'OCCUPANT.
ENTRE « SYSTÈME D » ET TRAGÉDIE

Le gouvernement français est le seul parmi les Alliés à avoir conclu un armistice avec l'Allemagne mais, comme il s'en rendra vite compte, cela ne lui procure guère d'avantages.

Paris à l'heure allemande. Jeunes filles des services auxiliaires de l'armée d'occupation chargées du central téléphonique de la Kommandantur de Paris (Signal, novembre 1940). (Coll. Ch. Le Corre)

Page de gauche :
Chancel, dessinateur et résistant (chef du réseau gaulliste Phratrie), dénonce les pénuries en faisant allusion à la fameuse 5ᵉ colonne censée avoir contribué à la victoire allemande (hiver de 1943-1944).

UNE FRANCE HUMILIÉE

La plupart de ceux qui désiraient ardemment un armistice rapide sont consternés par sa dureté et par le comportement désinvolte du vainqueur à leur égard (Laval, un des rares, s'en accommode déjà, lui qui, dès le 16 août, limoge Léon Noël, délégué général en zone occupée, pour avoir affirmé trop haut la souveraineté de Vichy sur l'ensemble du territoire national). Tous les frais d'occupation sont à la charge des vaincus, qui ne peuvent plus commercer librement avec le reste du monde ; l'Allemagne se réserve aussi un

Prospérant sur un terreau ancien, ravivée par l'affaire de Mers el-Kébir, l'anglophobie traditionnelle des Français est entretenue par l'occupant. De son côté, le régime de Vichy s'efforce de démontrer que la France s'est en quelque sorte trompée d'ennemi en 1939-1940. (Centre d'Etudes Edmond-Michelet, Brive-la-Gaillarde)

droit de prise de butin, de pillage. En revanche, la France conserve son empire colonial, il est vrai hors de portée de l'occupant et une armée de 100 000 hommes (autant que l'Allemagne en 1919) ; la flotte de guerre sera désarmée, non pas livrée.

Cette dernière clause inquiète fortement les Britanniques, qui craignent que les Allemands ne finissent tout de même par s'en emparer. Le 3 juillet 1940, les navires français qui ont trouvé refuge dans les ports britanniques sont saisis (opération *Catapult*), tandis que l'escadre française d'Alexandrie passe en douceur sous contrôle anglais. A Mers el-Kébir, la base navale d'Oran, en revanche, l'amiral Gensoul rejette avec hauteur l'ultimatum de son homologue britannique Somerville et les armes entrent en action. Si le cuirassé

N'oubliez pas Oran!

Le 2 mars 1943, le libre passage est autorisé à travers la ligne de démarcation.

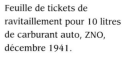

Ausweis.

(Centre d'Études Edmond-Michelet, Brive-la-Gaillarde)

Strasbourg parvient à s'échapper vers Toulon, les autres bâtiments sont détruits ou endommagés et près de 1 300 marins français sont tués au cours de deux raids successifs. Ce massacre indigne l'opinion publique française et le gouvernement de Vichy n'aura pas de mal au cours des années qui suivent à exploiter son anglophobie endémique.

LA FRANCE OCCUPÉE

Le découpage du pays en zones dont les contours ont été définis selon le bon vouloir du vainqueur apparaît comme particulièrement humiliant. Pétain a de facto perdu l'Alsace-Lorraine incorporée au Reich dès l'été de 1940. Les Allemands contrôlent très étroitement les zones du Nord dites respectivement occupée, rattachée, réservée et interdite. En zone « libre » la marge de manœuvre de Vichy sera de plus en plus réduite, jusqu'à disparaître en novembre 1942.

Dès le 25 juin 1940, des points de contrôle sont installés tout le long de la ligne de démarcation, qui commence à devenir difficilement franchissable pour les réfugiés ou les prisonniers évadés désireux

de rentrer chez eux. Le département du Jura, au confluent des zones libre, occupée, interdite et de la frontière suisse, devient l'une des plaques tournantes des passages clandestins. Voilà bien la France coupée en deux : toute la moitié Nord et les côtes de l'Atlantique – de loin la partie la plus riche et la plus peuplée – passent sous l'autorité du commandant général von Stülpnagel. Le gouverneur militaire prend ses quartiers à l'hôtel *Majestic* à Paris, tandis qu'Otto Abetz est nommé ambassadeur du Reich en France.

Dès leur arrivée dans une localité, les vainqueurs mettent les horloges à l'heure

Feuille de tickets de ravitaillement pour 10 litres de carburant auto, ZNO, décembre 1941.

(Centre d'Études Edmond-Michelet, Brive-la-Gaillarde)

Dans un but de propagande, les Allemands rendent hommage au Soldat inconnu, « ennemi valeureux », le 3 novembre 1940.

(Coll. T. Le Sant.)

allemande, exigent la remise de toutes les armes à la *Feldkommandantur*, qui est généralement installée dans un édifice public ou une maison cossue réquisitionnée. Les déplacements sont limités, réservés aux porteurs de laissez-passer (*Ausweis*), beaucoup d'automobiles sont confisquées (il n'y a d'ailleurs plus de carburant). Les préfets reçoivent désormais leurs directives de l'occupant, qui exerce aussi une forte pression sur la police et sur la justice et qui s'arroge le droit de réquisitionner, de fixer les prix, de traiter directement avec les entreprises françaises. Grâce à un taux de change très favorable, les soldats allemands s'accaparent de nombreux produits. En beaucoup d'endroits, pour des raisons politiques ou sous prétexte de récupérer le métal pour l'industrie de guerre, sont détruits des monuments ciblés, comme l'obélisque de la Légion tchécoslovaque de la Grande Guerre à Darney (Vosges).

Le 11 novembre 1942, au cours de l'opération *Attila*, les Allemands envahissent le Sud pour répondre au débarquement allié en Afrique du Nord. Pétain donne l'ordre à ses troupes de ne pas leur opposer de résistance. Il refuse de gagner Alger, comme certains de ses conseillers l'invitaient à le faire. Sur les vingt-trois groupes d'aviation basés en zone Sud un seul s'envole de l'autre côté de la Méditerranée. Reste la flotte. Le 27 novembre, alors que les Allemands entrent dans Toulon, l'amiral de Laborde, plutôt que d'appareiller pour Alger, ordonne le sabordage de ses navires (seuls quatre sous-marins gagnent l'Afrique du Nord et un autre l'Espagne).

Ce même 11 novembre 1942, les Italiens, qui n'occupaient jusque-là qu'une étroite bande de territoire le long de la frontière commune (Menton et Fontan étant annexés de fait), se déploient dans une grande partie du Sud-Est et en Corse. Ils sont cependant bien vite remplacés par la *Wehrmacht* après la destitution de Mussolini (été de 1943).

L'ANNEXION DE FAIT DE L'ALSACE-MOSELLE

Les trois départements de l'ancienne Alsace-Lorraine de 1871-1918 (Bas-Rhin, Haut-Rhin, Moselle) sont annexés de fait à l'Allemagne dès juillet 1940, bien qu'aucune mention n'en soit faite dans la convention

Après le retrait de l'Italie de la guerre, la France récupère Menton, annexée de fait plus de deux ans auparavant. Les couleurs du drapeau du balcon de l'hôtel de ville ont changé (automne de 1943) (*La Semaine*, 14 octobre 1943).

(Coll. Ch. Le Corre)

LA MISE AU PAS DES ALSACIENS

Une frontière sépare désormais l'Alsace des Vosges. On ne peut plus passer. Le français ne doit plus être parlé dans les endroits publics. Ainsi, dans les églises, sermons et prières se font en langue allemande. Quelques jours plus tard, il est interdit de parler français, même en famille, sous peine d'amende. Défense aussi d'écouter d'autres postes de radio que les allemands. Le 15 août, en cette année 1940, n'est plus jour férié. La cathédrale est interdite au culte. Tous les enseignants tant du secondaire que du primaire doivent signer trois déclarations : par la première reconnaître la nullité et la félonie du traité de Versailles, la deuxième par laquelle ils promettent de travailler pour l'État national-socialiste, la troisième par laquelle ils s'engagent à accepter d'aller en Allemagne s'ils sont requis.

(Monographie écrite par les Franciscaines missionnaires de Marie de Mulhouse, citée par Epp [René], *La Terreur nazie en Alsace*, Strasbourg, 2002.)

d'armistice (et si Vichy émet des protestations entre 1940 et 1944, elles restent toujours secrètes et sont démenties dans les faits par la collaboration). Avant tout désireux de retrouver leurs foyers, beaucoup d'évacués des régions frontières rentrent au pays après l'armistice. L'accueil en grande pompe de la part des autorités allemandes contraste fâcheusement avec la découverte de leurs maisons souvent pillées par les troupes françaises en débandade. Mais aussitôt commencent « la mise au pas » et « l'homogénéisation de la population », qui vont de pair avec la « regermanisation » (*Rückdeutschung*).

Entre juillet et décembre 1940, surtout en Moselle, des dizaines de milliers d'« indésirables » (Français « de l'Intérieur », Juifs, Tziganes, asociaux,

membres du Souvenir français et la plupart des simples habitants des régions francophones) sont expulsés. Les noms des communes et souvent des personnes sont traduits en allemand, les Églises font l'objet de multiples tracasseries, les monuments à caractère français sont détruits ou démontés (comme la statue de la place Kléber à Strasbourg). Une organisation politique et administrative rigoureusement calquée sur celle du Reich est mise en place.

Théoriquement obligés d'adhérer à des mouvements nazis pour conserver leur travail ou poursuivre leurs études, les Alsaciens et Lorrains trouvent souvent l'occasion de se dérober avec la complicité de fonctionnaires locaux. Cette résistance passive de tous les jours est pourtant très risquée : le camp de « redressement » de

Le *gauleiter* Wagner salue de jeunes Strasbourgeois.
(Archives municipales de Strasbourg)

1. Kreistag in Straßburg
Aufmarsch der Gliederungen auf dem Karl-Roos-Platz

Jeunes filles alsaciennes incorporées de force dans le RAD (travail obligatoire) à Grafenhausen (Allemagne) en 1944.
(Coll. Bronner)

1er Kreistag du parti nazi, sur la place Kléber, rebaptisée *Karl-Roos-Platz*, du nom d'un autonomiste pro-nazi fusillé par les Français en 1940.
(Archives municipales de Strasbourg)

Schirmeck accueille des milliers de récalcitrants à l'« ordre nouveau ». On trouve aussi, inévitablement, un petit nombre de ralliés aux maîtres du jour par opportunisme, par sympathie pour la culture allemande et, rarement, par conviction nationale-socialiste. Des milliers de fonctionnaires – notamment des instituteurs – sont « importés » d'Allemagne pour « rééduquer » les annexés.

Considérés comme des *Volksdeutsche* (membres de la communauté du peuple allemand), les annexés ne sont toutefois pas – sauf naturalisations individuelles – de véritables citoyens du Reich (*Reichsdeutsche*). « Etre allemand est un

honneur qui se mérite », martèlent sans arrêt les *Gauleiter* (gouverneurs), Wagner en Alsace et Bürckel en Lorraine. Aussi est-il imposé à la population une participation de plus en plus conséquente à l'effort de guerre nazi. Le processus commence par un séjour forcé au RAD (service du travail du *Reich*) pour les jeunes gens (mai 1941), puis également les jeunes filles (octobre 1942). Après l'échec d'un appel aux volontaires (2 000 environ au cours de la guerre), l'incorporation de force dans l'armée allemande est décidée en août 1942. Cette véritable tragédie concernera 130 000 hommes et adolescents.

Cette affiche de 1940 incarne la volonté
d'éradiquer l'influence française en Alsace
(Dehors le fatras français).
(Collection et photo BNU de Strasbourg)
(Extrait de *Histoire de l'Alsace*, Bernard Vogler,
Editions Ouest-France)

La réplique française de 1945 :
Hinaus mit dem Schwowe Plunder. Schwowe,
mot issu de « souabe », sert en Alsace
à désigner les Allemands avec une connotation.
(Collection et photo BNU de Strasbourg)
(Extrait de *Histoire de l'Alsace*, Bernard Vogler, Editions Ouest-France)

Eparpillés aux quatre coins de l'Europe, les « Malgré-nous » subissent tout particulièrement les terribles conditions de guerre du front russe. Plusieurs dizaines de milliers d'entre eux, qui se sont rendus ou ont été capturés, seront détenus dans le camp de Tambov, véritable mouroir (le dernier prisonnier ne sera rapatrié d'URSS qu'en 1955). D'autres sont affectés dans les Balkans, en Italie, en Scandinavie et à la fin même en France. Certains sont incorporés, de force toujours, dans la marine ou, sur critères physiques, même dans les *Waffen SS*. Après le massacre pour l'exemple, les 17 et 24 février 1943, de quatorze conscrits de la commune de Ballersdorf capturés au moment où ils tentaient de passer en Suisse, les jeunes Alsaciens et Mosellans, terrorisés, obéissent la mort dans l'âme aux ordres d'appel, d'autant plus que les familles des réfractaires sont « transplantées » en Allemagne ou en Pologne. Cela n'empêche pas des manifestations ponctuelles de patriotisme français (comme le chant de *La Marseillaise* dans les trains à destination de la caserne), de nombreuses tentatives pour se faire exempter (jusqu'à des mutilations volontaires), des évasions à travers les Vosges et des désertions (massives à l'automne de 1944 sur les divers fronts).

Un destin semblable à beaucoup d'autres entre 1942 et 1945 : Marcel Poirot, d'abord incorporé de force dans la Wehrmacht, s'engage ensuite dans l'armée française (caporal-chef au 10ᵉ bataillon de marche sénégalais). De nombreux Alsaciens-Mosellans participent aux combats de la Libération puis à la guerre d'Indochine (*Nuit et Jour*, 25 octobre 1945).

(Coll. Ch. Le Corre)

LES ZONES « RATTACHÉE », « RÉSERVÉE » ET « INTERDITE »

Au-delà de l'Alsace-Moselle, certains théoriciens nazis rêvent d'annexions plus larges encore car ils veulent voir dans une vaste partie du nord de la France (et dans la Wallonie) des terres d'ancien peuplement germanique, où il suffirait de « gratter le vernis roman » pour y retrouver la « pureté originelle » des populations. Dès septembre 1940, l'occupant rattache les départements du Nord et du Pas-de-Calais au commandement militaire allemand de Bruxelles. Décidée d'abord pour des raisons militaires (proximité de l'Angleterre), cette mesure prive en tout cas la France d'importantes ressources en charbon. Elle pourrait, craignent les autorités françaises, être le prélude à la création d'un Etat sur le modèle de celui de Charles le Téméraire (que réclament certains émules belges de Hitler, comme Léon Degrelle). On sait aussi que le nazi néerlandais Mussert nourrit des visées annexionnistes, désireux d'englober les Pays-Bas, la Belgique et la Flandre française dans un même Etat dont il serait le petit Führer.

Au sud de cette zone « rattachée » (et également tout le long de la côte atlantique et de la frontière espagnole), sont créées une zone « interdite » (au retour des réfugiés) et, à l'est, une zone « réservée », régies par des règles de circulation et de séjour contraignantes. Ces zones englobent les vieilles villes du Saint Empire germanique que sont Charleville, Verdun ou encore Toul et leur constitution ne semble pas non plus dénuée d'arrière-pensées. Hitler voit dans les Bourguignons des Burgondes et dans les Normands des Vikings et les classe donc parmi les peuples germaniques.

Dans plusieurs villes, comme à Besançon, des instituts pour l'enseignement de la langue et de la culture germaniques sont implantés. Certains cercles évoquent la résurrection d'une Lotharingie et l'on ne parle déjà plus de Nancy mais de *Nanzig*. Enfin, l'organisation *Ostland* met la main sur des centaines d'hectares de terres agricoles dans les Ardennes, en Lorraine et en Champagne, où elle installe des Allemands (prélude à une véritable colonisation de peuplement ?). Dès décembre 1941, la surveillance aux limites de la zone interdite se relâche toutefois, les Allemands redéployant leurs troupes le long des côtes ; et en février 1943, Laval obtient sa suppression en échange de l'instauration du STO.

Le découpage de la France

D'après : Michel (Henri), *La Seconde Guerre mondiale*, Paris, 1968, vol. 1, p. 190.

Panneaux indicateurs destinés aux soldats de la Wehrmacht, place de l'Opéra (*La Semaine*, 5 juillet 1942).
(Coll. Ch. Le Corre)

LE PILLAGE FINANCIER ET ÉCONOMIQUE

Pour exploiter la France à leur entière discrétion les Allemands ont inscrit dans la convention d'armistice un article qui prévoit une indemnité de 400 millions de francs par jour pour l'entretien de leurs troupes (soit de quoi nourrir 18 millions de soldats !), ce qui apparaît à Hitler comme une juste compensation (avec les intérêts) aux réparations imposées à Versailles. En mai 1941, les frais journaliers sont ramenés à 300 millions de francs par jour, mais portés à 500 millions à partir du 11 novembre 1942. Au surplus, le poids du cantonnement se fait parfois insupportable pour les populations. A l'été de 1943, une petite ville comme Quimperlé (9 335 habitants en 1938) doit par exemple loger 2 200 hommes de la *265. Infanterie Division* auxquels s'ajoutent des milliers de travailleurs de l'organisation *Todt* en charge de la construction du Mur de l'Atlantique.

Avec ce traitement les finances de la France sont vite exsangues. L'indice de production industrielle (par rapport à l'indice 100 pour 1939) tombe à 62 en 1942, à 56 en 1943 et à 43 en 1944, dont un tiers environ prélevé par l'Allemagne pour ses propres besoins. Endettée à hauteur de 445 milliards de francs en 1939, la France le sera de 1 680 milliards à la Libération. Les grands consortiums allemands (*IG Farben, Krupp* ou *H. Göring Reichswerke*) utilisent une partie de l'argent extorqué par leur gouvernement pour s'introduire dans le capital des entreprises françaises les plus rentables, pour acheter des quantités énormes de marchandises, hémorragie bientôt officialisée par un accord de compensation franco-allemand. L'occupant s'octroie aussi de multiples avantages en nature, démontant des usines, et enlevant les machines, pratiquant la rétention de locomotives. Dans une Europe nazie centrée sur une Allemagne surindustrialisée, la plupart des autres pays, dont la France, se verraient réserver une vocation essentiellement agricole.

LES DIFFICULTÉS DU QUOTIDIEN

Dans un pays occupé ou satellisé par l'Allemagne, les vaincus passent à la portion congrue. En zone Nord l'hiver de 1940-1941 donne le ton de ce que sera la suite : insuffisance de nourriture, de vêtements, de moyens de chauffage. Le rationnement (instauré à l'automne de 1940) se contente de répartir la pénurie : huit catégories de bénéficiaires sont créées, dont les plus chanceux ne touchent que 350 grammes de pain par jour en 1940 (et 275 en 1943) et 180 grammes de viande par semaine (puis 90 seulement). Le ravitaillement devient une préoccupation essentielle. Munies des précieux tickets, les ménagères font la queue par tous les temps pour quelques aliments souvent peu variés : c'est le règne du rutabaga et du topinambour. En France, pays le plus mal nourri d'Europe occidentale, la tuberculose et les maladies de carence sont en forte hausse ; l'espérance de vie baisse d'environ huit ans. Médicaments et savon sont eux aussi introuvables. Des organismes tentent de porter assistance aux nécessiteux, à commencer par les réfugiés : Croix-Rouge, Secours national, institutions suisses et américaines. Soupes populaires, vestiaires, chauffoirs, restaurants d'entraide fournissent quelque réconfort aux plus malheureux.

Tickets de rationnement (nourriture).
(Coll. Ch. Le Corre)

La figure de saint Martin, patron de la France et apôtre du partage, est utilisée par le gouvernement de Vichy pour inciter la population à faire preuve de solidarité au cours du quatrième hiver de guerre.
(Centre d'Études Edmond-Michelet, Brive-la-Gaillarde)

La population souffre beaucoup des privations alimentaires, surtout en ville.
(Coll. Ch. Le Corre).

Dans Paris privé d'essence,
les vélos-taxis remplacent
les automobiles (août 1941).
(BnF, Cabinet des estampes)

Scène de la vie parisienne le 1er juillet 1942 (coin de l'avenue Matignon et du rond-point
des Champs-Elysées). Un fiacre attend le client devant une colonne Morris.
Si ce n'était les artistes à l'affiche (Mistinguett, par exemple), on se croirait revenu
à la Belle Epoque (*La Semaine*, 5 juillet 1942). (Coll. Ch. Le Corre)

Faute de moyens de transport les Français se font casaniers ; dans les villes circulent de vieux fiacres, des véhicules au gazogène ou des bicyclettes ; les piétons portent des chaussures aux semelles de bois. C'est le règne du « système D » : on met en culture les jardins d'agrément et les pelouses deviennent des champs de pommes de terre ; la plupart des Français, qui ont encore de la famille ou des connaissances à la campagne, où la vie est en général bien plus facile, vont régulièrement se « mettre au vert » ou s'y ravitailler. A l'opposé, certains paysans s'enrichissent considérablement (« marché gris ») : « chair à canon » de la guerre de 1914-1918 ils prennent une sorte de revanche sur les ouvriers. C'est aussi le règne des intermédiaires et d'une fraction de commerçants indélicats stigmatisés dès 1952 par Jean Dutourd dans son roman *Au bon beurre*.

Les plus riches ont les moyens de se fournir au « marché noir » où une douzaine d'œufs représente 10 % du salaire mensuel d'un ouvrier et un bon repas au restaurant un tiers. Ces trafics entraînent l'apparition d'une nouvelle délinquance, alimentée par des jeunes gens aux études perturbées par la guerre et qui ne sont plus encadrés par le service militaire. L'administration française et les Allemands, plus corrompus qu'on ne le croit, ferment souvent les yeux, prélevant leur dîme au passage ; le cas de Pierre

Un « coupon d'achat pour une paire de chaussures – fantaisie – hommes », avec tampon de la préfecture d'Ille-et-Vilaine.
(Centre d'Etudes Edmond-Michelet, Brive-la-Gaillarde)

Une paire de galoches avec semelles de bois.
(Centre d'Etudes Edmond-Michelet, Brive-la-Gaillarde)

Bonny, policier « pourri » déjà impliqué dans plusieurs scandales avant la guerre, illustre ces dérives. Des fortunes choquantes s'édifient ainsi en toute illégalité, ou dans le plus scrupuleux respect des (nouvelles) lois qui, sous couvert de « l'aryanisation » des entreprises, conduisent à la spoliation des anciens possesseurs.

Les semences deviennent elles aussi denrée rare, surtout depuis que tout un chacun s'est improvisé jardinier pour varier ses menus.
(Coll. Ch. Le Corre)

Les citadins utilisent terrasses et balcons pour élever des lapins et de la volaille. Exposition de clapiers sur le toit d'un grand magasin parisien au printemps de 1942 (*La Semaine*, 5 juillet 1942).
(Coll. Ch. Le Corre)

Les ersatz : produits de remplacement (*La Semaine*, 26 décembre 1940).
(Coll. Ch. Le Corre)

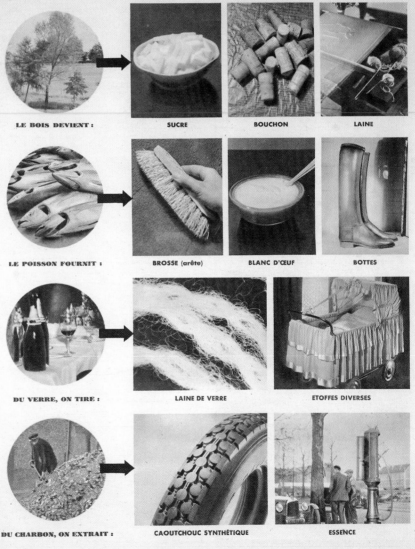

LE BOIS DEVIENT :   SUCRE   BOUCHON   LAINE

LE POISSON FOURNIT :   BROSSE (arête)   BLANC D'ŒUF   BOTTES

DU VERRE, ON TIRE :   LAINE DE VERRE   ETOFFES DIVERSES

DU CHARBON, ON EXTRAIT :   CAOUTCHOUC SYNTHÉTIQUE   ESSENCE

26

CAMPS DES PRISONNIERS FRANÇAIS

d'après les documents du MINISTÈRE des PRISONNIERS de la FRANCE·LIBÉRÉE·

Carte en couleurs des camps de prisonniers français en Allemagne, d'après les documents du ministère des Prisonniers de la France libérée, établie en 1944.

(Centre d'Études Edmond-Michelet, Brive-la-Gaillarde)

LES PRISONNIERS DE GUERRE ET LE STO

La guerre a rendu beaucoup de familles françaises « monoparentales ». En mai et juin 1940, les Allemands capturent en effet environ 2,6 millions de prisonniers. Dépassés par l'ampleur de leur succès, les vainqueurs parent d'abord au plus pressé, comme à Besançon, où on les parque dans le stade municipal. La plupart ne songent pas à profiter de la confusion pour s'évader, convaincus (bien à tort !) que l'armistice va les libérer rapidement. Un million huit cent trente mille prisonniers en tout restent aux mains des Allemands, dont près de 1,6 million sont transférés en Allemagne, et les autres – les soldats de couleur notamment, quand ils n'ont pas été massacrés, comme à Chartres – sont internés en France dans des *Frontstalags* (et 30 000 en Suisse). Leur nombre ne cesse de diminuer par suite des décès, des évasions (70 000 environ) et des libérations (anciens combattants, Alsaciens-Lorrains, certains spécialistes, fonctionnaires et

agriculteurs), mais il en reste encore près de 960 000 au milieu de 1944.

Comme leur sort est une préoccupation constante pour Vichy, ils constituent le principal moyen de pression aux mains des Allemands, qui n'ont aucune intention de signer avec la France un traité de paix qui les obligerait à ouvrir les portes des camps. Les soldats sont enfermés dans des *Stalags* et les officiers dans des *Offlags*. Beaucoup sont toutefois répartis dans des *Kommandos* de travail, où la plupart bénéficient de conditions de vie assez agréables dans les fermes où il ne reste souvent que des femmes et des enfants (5 000 d'entre eux se fixeront en Allemagne après la guerre). D'autres, en revanche, sont astreints à des travaux beaucoup plus pénibles, surtout s'ils ont fait preuve d'indiscipline ou ont tenté de

La première veillée de Noël des prisonniers français dans leur camp en Allemagne (décembre 1940).

(Coll. T. Le Sant)

s'évader ; humiliations et même châtiments corporels ne sont pas rares. En 1943, sont créées en France des Maisons du prisonnier pour coordonner l'aide qui leur est apportée ; à l'inverse, les prisonniers qui bénéficient d'une situation avantageuse peuvent envoyer de l'argent à leur famille.

Carte de travail de STO (vierge).
(Centre d'Études Edmond-Michelet, Brive-la-Gaillarde)

« Ceux de 40 » sont progressivement rejoints en Allemagne par d'autres Français car le Reich a toujours besoin d'un plus grand nombre de bras pour son économie de guerre. Le 16 février 1943, est instauré le Service du travail obligatoire (STO). Très impopulaire, il est contourné de différentes manières, notamment par une embauche en France dans une entreprise « protégée », c'est-à-dire qui travaille à 80 % au moins pour l'Allemagne (accord Speer-Bichelonne – automne de 1943). Six cent dix mille hommes et 40 000 femmes environ prendront tout de même la route de l'Allemagne, tandis que l'on estime les réfractaires à 260 000. Parallèlement, 220 000 prisonniers de guerre sont transformés en « travailleurs libres » pour contourner la convention de Genève.

Traînés à la suite des armées allemandes qui ont déferlé sur la Pologne et l'URSS, capturés en Tchécoslovaquie ou en Allemagne, des milliers de prisonniers français et de travailleurs forcés se retrouvent en 1944-1945 au pouvoir de Staline. Si certains seront rapatriés rapidement, d'autres connaîtront le goulag. Des milliers d'autres encore, mêlés à la population allemande, seront tués par les bombardements alliés ; comme à Dresde le 13 février 1945.

Photographie de propagande montrant des prisonniers français qui jouent les touristes à Berlin (porte de Brandebourg), en train de demander leur chemin à un *Schupo* (agent de police).
(Coll. Ch. Le Corre)

QUE MA PEINE D'AUJOURD'HUI
COMME VOTRE SACRIFICE,
SEIGNEUR,
SERVE A LA LIBÉRATION
DE TOUS MES FRÈRES

La foi est d'un grand réconfort pour beaucoup de prisonniers, bien encadrés par des aumôniers qui partagent en tout leur condition. La prière permet de maintenir un lien spirituel entre les familles séparées.
(Coll. T. Le Sant)

Ars - 6
lonsque c̄
oltrance
réprimé
la gamme est

LA « RÉVOLUTION NATIONALE »
ET L'ÉTAT FRANÇAIS

Page de gauche :
Le « Maréchal » au cours de l'une de ses nombreuses visites officielles. Ici, selon toute apparence, en compagnie d'un orphelin de guerre.
(Coll. Ch. Le Corre)

C'est à Vichy que, le 10 juillet 1940, grâce aux intrigues de Pierre Laval, les députés et sénateurs votent les pleins pouvoirs au « vainqueur de Verdun », le maréchal Pétain, par 569 voix pour, 80 contre et 17 abstentions.

LA MISE EN PLACE DE L'ÉTAT FRANÇAIS

Figure du père – voire du grand-père –, le maréchal s'est imposé sans difficultés dans une France écrasée et déboussolée. Il incarne la gloire passée de l'armée et de la nation françaises et l'expérience ; il apparaît comme l'artisan de la cessation des hostilités et de leur corollaire de malheurs, et comme le rempart qui évitera un contact direct avec l'occupant et adoucira le sort des vaincus. La ville thermale de Vichy devient la capitale du nouvel « Etat français ».

LE MARÉCHAL

Né dans une famille paysanne à Cauchy-à-la-Tour en 1856, Philippe Pétain est passé par Saint-Cyr et a suivi une carrière sans grand relief, en partie parce qu'il refusait les théories alors à la mode d'offensive à outrance. La Grande Guerre lui permet de donner toute sa mesure. En février 1916, à Verdun, c'est lui qui galvanise les combattants et organise la résistance. En mai 1917, il remplace Nivelle après le désastre du Chemin des Dames. Confronté aux mutineries, il pratique une répression modérée, restaure la confiance et améliore les conditions de vie des poilus. Au lendemain de l'Armistice de 1918 il est fait maréchal de France. En 1925-1926, il réprime la révolte d'Abd el-Krim au Maroc. Ministre de la Guerre en 1935, il est nommé ambassadeur auprès de Franco en 1939. Le 18 mai 1940, il est ministre d'Etat et vice-président du Conseil dans le cabinet Reynaud, puis président du Conseil le 16 juin ; le dernier de la IIIᵉ République...

Le culte du chef devient aussitôt l'un des éléments importants du régime de Vichy. Il va de pair avec une conception hiérarchisée de la société, où le pouvoir vient d'en haut, comme sous l'Ancien Régime, et non d'en bas comme dans les démocraties libérales, dont la France faisait partie depuis soixante-dix ans. Ce culte se décline de mille manières, de *La Vie du Maréchal Pétain racontée aux enfants de France*, véritable hagiographie, à la très vaste gamme des « produits dérivés » à son effigie et à l'association des Amis du maréchal, essaimée dans toute la France.

Les visites du chef de l'Etat dans les régions françaises donnent lieu à d'impressionnantes manifestations d'affection, comme à Toulouse le 10 novembre 1940, à Toulon, le 6 décembre suivant, et même encore à Paris, le 26 avril 1944, puis le 26 mai à Nancy. Si *La Marseillaise* est encore jouée lors des cérémonies officielles, elle est presque toujours accompagnée du nouvel hymne officiel de l'Etat français : *Maréchal nous voilà !*

Ayant fait à la France « le don de sa personne », le « Maréchal » est censé incarner à la perfection l'esprit de sacrifice exigé de l'ensemble de la population en ces heures difficiles. Un des (très) rares documents où Pétain se présente en civil.
(Centre d'Etudes Edmond-Michelet, Brive-la-Gaillarde)

Timbre.
(Coll. Ch. Le Corre)

À Cusset, dans l'Allier, une usine de céramique fabrique des bustes du maréchal. En terre cuite, ils sont destinés aux différents centres de propagande qui diffusent l'effigie du chef de l'Etat dans la France et tout l'empire (*La Semaine*, 4 décembre 1941).
(Coll. Ch. Le Corre)

place importante à Vichy dans les débuts, mais ils ne parviennent pas à subjuguer un Pétain qui a toujours été considéré comme un « soldat républicain ».

L'Etat français, théoriquement souverain, continue d'entretenir des relations diplomatiques avec la plupart des pays, dont les Etats-Unis, l'URSS et même le Canada. Cependant, en dépit de son indépendance nominale, le régime est placé sous l'étroite surveillance des Allemands. La zone Sud est remplie d'agents à leur solde et de membres des commissions d'armistice, qui ont des compétences très larges et s'immiscent dans tout. Aucun haut fonctionnaire, par exemple, ne peut être nommé sans l'approbation des autorités allemandes de Paris. Et à Vichy la presse a reçu pour consigne de s'abstenir de toute critique à l'encontre du Reich.

Chargé de rédiger une nouvelle Constitution, le maréchal s'en garde bien. Les 11 et 12 juillet 1940, il se contente de publier des « actes constitutionnels » qui

Vichy dispose en apparence de tous les attributs de la souveraineté, mais calque en fait sa diplomatie sur celle de l'Allemagne nazie. Fermeture de l'ambassade de l'URSS après le déclenchement de l'opération *Barbarossa* (30 juin 1941) (*La Semaine*, 10 juillet 1941).
(Coll. Ch. Le Corre)

Cette appellation est le résultat d'un compromis entre les différentes tendances qui cohabitent dans l'entourage du maréchal, où tous sont cependant unis par leur détestation de la République parlementaire. Instrument, à leurs yeux, « des francs-maçons, des Juifs et des affairistes », elle est rendue responsable de la « décadence » du pays, de l'effondrement des valeurs morales et de la défaite. La loi sur les sociétés secrètes d'août 1940 règle aussitôt de vieux comptes. Le buste de Marianne est retiré des mairies et la francisque devient le symbole du nouveau régime. Certains monarchistes de l'Action française tiennent une abrogent la fonction de président de la République et la remplacent par celle de « chef de l'Etat français », doté du pouvoir de désigner son « dauphin » (Laval). Les ministres ne sont plus responsables devant un Parlement qui a disparu mais devant lui seul ; ils doivent lui prêter serment, obligation étendue ensuite aux fonctionnaires, militaires et magistrats.

La « Révolution nationale » qu'il proclame le 8 octobre 1940 demeure un concept finalement assez vague, sorte de mélange de traditionalisme, d'autoritarisme classique et de décentralisation, résumé par la nouvelle devise du pays : *Travail, Famille, Patrie*. Les notables y jouent un rôle important ; les élections sont abolies (les maires sont nommés) ; on parle bien plus volontiers des vieilles provinces que des départements hérités de la Révolution et des préfectures de région sont établies en avril 1941. Le politologue René Rémond rattache cette idéologie au courant légitimiste : « C'est une brusque et anachronique remontée du passé : Vichy, c'est l'antimodernisme érigé en mode de gouvernement et en système social. »

Le commissariat général à la famille fait la promotion de la Journée des mères dans le cadre de sa politique nataliste. Affiche de 1943 de Philippe Grach qui signe aussi nombre d'affiches du GPRF sous le nom de Phili.
(Centre d'Etudes Edmond-Michelet, Brive-la-Gaillarde)

En dépit de l'allure martiale de ce soldat, l'armée de l'armistice est bien inoffensive. Elle permet tout de même de garder vivantes, sur le sol national aussi, les traditions militaires françaises et constituera un vivier de résistants, surtout à partir de 1942 (*L'Armée nouvelle*).
(Coll. Ch. Le Corre)

LES PILIERS
DU NOUVEAU RÉGIME

Comme en 1871, la France vit une sorte de moment de pénitence vu comme le prélude d'une résurrection, et se recentre sur les « valeurs éternelles », au premier rang desquelles figure la famille.

« Trop peu d'enfants, trop peu d'alliés, voilà les causes de notre défaite », explique dans son message radiodiffusé du 20 juin 1940 un Pétain qui vilipende régulièrement l'individualisme. La Fête des mères revêt désormais un éclat tout particulier, le divorce est entravé et l'avortement sévèrement puni (le 30 juillet 1943, la « faiseuse d'anges » Marie-Louise Giraud est guillotinée). Cette politique porte ses fruits, paradoxe dans des temps si incertains : la natalité remonte à partir de 1942 passant à 14,5 pour mille (15,7 en 1943 ; 16,2 en 1944). Les Français

Perçue comme la cause principale du déclin de la France, la dénatalité est efficacement combattue par l'Etat français.
(Coll. Ch. Le Corre)

Pétain en visite dans une école primaire (24 septembre 1940) (photo extraite d'une brochure de propagande *Le Maréchal de France, Philippe Pétain*).
(Coll. Ch. Le Corre)

semblent avoir repris confiance en l'avenir ; autre preuve, le nombre des suicides est en baisse.

Le vieillard qui gouverne la France s'intéresse beaucoup à la jeunesse. Les Groupements puis Chantiers de jeunesse du général de La Porte du Theil, créés dès juillet 1940, apparaissent comme les diffuseurs de l'idéologie nouvelle. Sortes de grands camps scouts agricoles ou forestiers, auxquels sont astreints pour huit mois les jeunes gens âgés de vingt ans, ces succédanés du service militaire comprennent également tout un programme d'éducation civique. Toutefois, l'épiscopat veille à ce que Vichy ne subordonne pas toutes les organisations de jeunesse à l'appareil d'Etat : « Jeunesse unie, oui ! jeunesse unique, non ! », déclarent les évêques le 24 juillet 1941.

Or, dans les premiers mois de Vichy, l'Eglise est écoutée. Dans les périodes de crise profonde, la foi ancestrale est pour beaucoup un refuge sûr. Dès le 26 mai 1940,

Pétain marque sa sollicitude pour la jeunesse. Inspection des Compagnons de France (*Le Maréchal de France, Philippe Pétain*).
(Coll. Ch. Le Corre)

Comme lors d'autres périodes de crise, la religiosité du peuple français augmente aussi au cours des événements de mai-juin 1940. Le journal catholique *Le Pèlerin* invoque les saints protecteurs du pays contre la Bête de l'Apocalypse : le néo-paganisme nazi (2 juin 1940).

(Coll. Ch. Le Corre)

à Besançon, comme en de nombreux autres endroits, les fidèles et même les autorités se pressent dans la cathédrale pour implorer la protection du Ciel ; le 16 juin, à la veille de l'entrée des Allemands dans la ville, l'archevêque promet solennellement d'élever une statue à Notre-Dame si la ville est épargnée par les combats (vœu accompli en 1949). Une partie de la population est saisie par une véritable fièvre mystique : une centaine d'apparitions de la Vierge Marie sont signalées, dont celle d'Athis-Mons en 1943 (l'Eglise n'a reconnu aucun de ces phénomènes). En 1942-1943, à Romans, se manifeste le « Roi blanc » (Léon Millet), qui se prétend le « Grand monarque », seul vrai descendant légitime des rois de France.

Blessés par l'anticléricalisme militant dont la République ne s'est jamais entièrement départie depuis 1880, les catholiques accueillent d'abord avec une sympathie certaine le concept de « Révolution nationale ». « Pétain, c'est la France, et la France c'est Pétain », affirme le cardinal Gerlier, archevêque de Lyon, alors que le nonce apostolique, Mgr Valeri, incite les évêques à davantage de prudence. Loyalisme sans inféodation, la formule de la déclaration des évêques du 24 juillet 1941 résume la position de l'Eglise de France face à Vichy. En tout cas, les écoles libres sont favorisées par des subventions, alors que le régime se méfie de l'université et « épure » les programmes de l'école publique, minimisant l'importance des Lumières et de la Révolution. Les écoles normales d'instituteurs, foyers du laïcisme, sont fermées, les lois contre les congrégations en grande partie abrogées, l'aumônerie militaire organisée. L'époque est aussi celle d'un bouillonnement pastoral et intellectuel, comme en témoigne la réflexion sur la rechristianisation de la nation, résumée dans l'ouvrage des Pères Godin et Daniel : *France, pays de mission*, paru en 1943.

FACE A LA « BÊTE »

Les grands Alliés de la France.

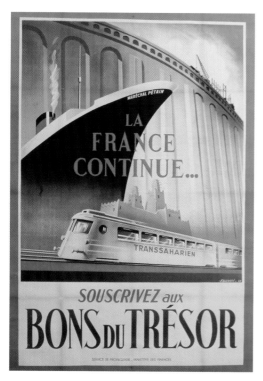

Confronté à d'inextricables
difficultés économiques du fait
du rançonnement et du pillage
du pays par l'occupant,
l'Etat français sollicite l'aide
de la population sous
la forme d'emprunts
et d'autres expédients.
Graphiquement,
l'une des plus belles
affiches de Vichy, où,
là encore, le nom
de Pétain (sur le navire)
est caution mais cette fois
de l'emprunt.
(Centre d'Etudes Edmond-Michelet,
Brive-la-Gaillarde)

catholiques sociaux, fondant l'organisa-tion du monde du travail sur la coopéra-tion et non la lutte des classes. Dans les faits, pourtant, les structures capitalistes de l'économie française ne sont guère remises en cause, même si la planification commence avec les « comités d'organisa-tion » et si le nombre des fonctionnaires augmente considérablement (pour les-quels, en août 1940, est fondée par le capi-taine Dunoyer de Segonzac l'Ecole des cadres d'Uriage, où des stages obligatoires sont bientôt organisés à l'intention des lauréats des concours publics). En revanche, le droit de grève est aboli et les salaires des ouvriers sont bloqués (en compensation un salaire minimum vital est instauré). En octobre 1941, la Charte du travail, d'inspiration mussolinienne, institue vingt-neuf « familles profession-nelles » et un syndicat officiel obligatoire.

Bien que les technocrates de
Vichy entendent la moderniser,
l'agriculture française demeure
archaïque (et ses effectifs
pléthoriques) si on la compare
aux agricultures allemande
et britannique.
(Centre d'Etudes Edmond-Michelet,
Brive-la-Gaillarde)

Dans le domaine écono-mique, Vichy développe une doctrine hostile au capitalisme libéral d'essence anglo-saxonne, « anonyme » et à ses yeux dominé par la « juiverie ». Il réalise ainsi une synthèse entre un certain socialisme non marxiste du XIXe siècle et les idées des

Assiette décorée.
(Centre d'Etudes Edmond-Michelet,
Brive-la-Gaillarde)

Je hais les mensonges qui vous ont fait
tant de mal. La terre elle ne ment pas
Maréchal Pétain , 25 Juin 1940.

Vichy se méfie des citadins et magnifie le monde rural. « Le paysan de France a été assez longtemps à la peine, qu'il soit aujourd'hui à l'honneur », proclame Pétain dans l'un de ses discours de 1940. « La terre, elle, ne ment pas », affirme-t-il. Le 2 décembre 1940, une loi organise l'agriculture sur le modèle corporatif. Le régime veut maintenir les paysans à la campagne, parle même de « retour à la terre ». Ces conceptions, irréalistes au plan économique, s'inscrivent dans une vision barrésienne : l'homme déraciné court à sa perte, au contraire de « celui qui sait d'où

Le « Maréchal » affectionne tout particulièrement le monde rural, dont il est lui-même issu, et qu'il a vu à l'œuvre au champ du sacrifice en 1914-1918. L'idéologie paysanniste séduit beaucoup de Français attachés à leurs racines, sans pour autant en décider un grand nombre à retourner à la terre (photo extraite d'une brochure de propagande *Le Maréchal de France, Philippe Pétain*).
(Coll. Ch. Le Corre)

il vient ». Car Vichy est avant tout nationaliste. La Légion française des combattants, créée le 29 août 1940, fédère toutes les associations d'anciens combattants, vivier naturel du « maréchalisme », en une organisation de masse, interdite en zone occupée, qui regroupera jusqu'à 1,2 million d'hommes en zone « libre » et 350 000 dans l'empire.

LE PROCÈS DE RIOM

Le 19 février 1942, s'ouvre dans cette petite ville d'Auvergne le procès des « responsables de la défaite », dont les « vedettes » sont Daladier, Gamelin et Blum, arrêtés le 15 octobre 1941. Devant cette « Cour suprême de justice » instituée le 30 juillet 1940 les accusés se font accusateurs et les séances tournent à la confusion de Vichy, tandis que Hitler se montre très agacé. Le procès est suspendu le 11 avril et les prévenus seront plus tard livrés aux Allemands et déportés.

L'ÉVOLUTION POLITIQUE DE VICHY

Très imbu de lui-même, mais velléitaire, le maréchal n'a en fait guère d'expérience politique. Il s'entoure d'un personnel issu de tous les horizons. Aux côtés des traditionalistes, surnommés les « vieux Romains » (Xavier Vallat, Jacques Chevalier, Raphaël Alibert), émergent les « jeunes cyclistes » : cadres venus du privé, hauts fonctionnaires, pour la plupart sortis des grandes écoles comme Paul Baudoin, directeur général de la Banque d'Indochine ; Yves Bouthillier, inspecteur des finances ; Jean Bichelonne ou encore Pierre Pucheu. Sous leur égide la France se lance dans l'économie semi-dirigée et aborde la modernité économique. Le régime reçoit aussi la caution d'universitaires comme l'historien Jérôme Carcopino et des plus grands noms de l'armée (Weygand) et surtout de la marine (amiraux Darlan et Platon).

Rien ne serait plus faux que de résumer Vichy à la réaction. Les hommes de gauche y sont très nombreux aussi, venus vers Pétain par pacifisme, antimilitarisme, anticapitalisme ou anticommunisme, comme René Belin (ancien de la CGT), Paul Marion (ancien communiste), François Chasseigne (ancien de la SFIO). Vichy est une sorte de « dictature pluraliste » tant le chassé-croisé d'idéologies parfois antagonistes y est évident. Aujourd'hui, d'ailleurs, la plupart des historiens distinguent trois Vichy successifs : celui de Pétain (traditionaliste), celui de Laval (fasciste) et enfin celui de Darnand, le chef de la Milice (qui confine au totalitarisme).

A Laval, arrêté le 13 décembre 1940 (mais aussitôt libéré sur ordre d'Abetz), succède Pierre-Etienne Flandin, un autre homme politique de la IIIe République, qui libéralise quelque peu le régime, créant un Conseil

Pétain remet leur drapeau aux membres de la Légion des anciens combattants au cours de l'une de ces cérémonies patriotiques dont le régime raffole.
(Coll. Ch. Le Corre)

François Darlan (1881-1942), proclamé « amiral de la flotte », titre nouveau presque équivalent de celui de maréchal de France (*L'Armée nouvelle*).
(Coll. Ch. Le Corre)

national, sorte de club de notables (janvier 1941). L'expérience tourne court : à partir de février 1941, le gouvernement est dominé par la personnalité de Darlan, vice-président du Conseil, qui s'entoure de technocrates. Marin atypique car républicain et autrefois proche de la franc-maçonnerie, c'est surtout un ennemi de la Grande-Bretagne et un ambitieux, comme chacun conscient que l'heure de la succession du maréchal ne tardera pas à sonner.

Son « règne » s'achève le 18 avril 1942 lorsque Laval est rappelé avec le titre de « chef du gouvernement », qu'il conserve jusqu'à la désagrégation finale du régime en août 1944. L'histoire de cette période, où Pétain fait figure de « potiche », se confond de plus en plus avec celle de la collaboration. Cependant, après l'effondrement du fascisme en Italie (été de 1943), le maréchal songe à une évolution de son régime, faisant préparer une véritable Constitution afin de se ménager la possibilité de négocier avec les Alliés. Les Allemands lui font alors brutalement sentir toute l'ampleur de sa servitude : en novembre 1943, ils lui interdisent d'annoncer cette mesure aux Français. Après avoir boudé pendant un mois, Pétain se soumet. Le régime entre alors dans sa dernière phase : les nazis imposent l'entrée dans le gouvernement de « durs » de la collaboration comme Joseph Darnand (au « Maintien de l'ordre »), Philippe Henriot (à l'Information et à la Propagande), puis Marcel Déat (au Travail et à la Solidarité).

Pierre Laval sortant de l'hôtel du Parc, à Vichy, en compagnie de Fernand de Brinon, secrétaire d'Etat auprès du chef du gouvernement.

(Coll. Ch. Le Corre)

TOI AUSSI !
TES CAMARADES T'ATTENDENT
DANS LA DIVISION FRANÇAISE DE LA
WAFFEN ϟϟ

LA NÉBULEUSE DES COLLABORATEURS

Une poignée de main lourde de conséquence. À Montoire, le 24 octobre 1940, Pétain inaugure sa politique de collaboration avec Hitler (au milieu, Joachim von Ribbentrop, ministre des Affaires étrangères du Reich) (*Signal*, novembre 1940).
(Coll. Ch. Le Corre)

En dehors de motivations idéologiques pour quelques-uns, la collaboration est surtout le fait de pragmatiques convaincus de la victoire finale de l'Allemagne. Désireux de ménager à la France la meilleure position possible dans l'Europe à venir, ils n'ont pas compris la dimension mondiale du conflit, qui est confirmée en 1941 par l'entrée dans la guerre de l'URSS et des Etats-Unis.

LA COLLABORATION D'ETAT

Sous l'influence de Laval, Pétain se rallie aux idées des collaborateurs à l'automne de 1940. Le 24 octobre, il rencontre Hitler à Montoire. La poignée de main entre l'ancien soldat de 1re classe de l'armée du Kaiser et le maréchal de France

Page de gauche :
Affiche de recrutement pour la division Charlemagne de la *Waffen SS*. Cette affiche est construite sur le modèle de celle qui représentait Lord Kitchener incitant les jeunes Britanniques à s'engager durant la Première Guerre mondiale.
(Centre d'Etudes Edmond-Michelet, Brive-la-Gaillarde)

vainqueur de Verdun choque les Français. S'ils se laissent pour l'heure encore convaincre que Pétain agit au mieux de leurs intérêts, c'est parce qu'ils comptent sur un retour plus rapide des prisonniers et sur un assouplissement des conditions de l'occupation. En fait, Vichy s'engage dans un jeu de dupes : alors qu'il croit traiter avec les Allemands sur un pied d'égalité, il est en permanence tenu dans une humiliante subordination. Pourquoi d'ailleurs en aurait-il été autrement ? les Allemands tiennent la France à leur merci.

Développée par Darlan, qui l'étend au domaine militaire et ne recule que devant l'opposition farouche de Weygand, la collaboration connaît une nouvelle accélération avec le retour de Laval aux affaires en

PIERRE LAVAL EXPLIQUE LA COLLABORATION AUX FRANÇAIS
J'ai la volonté de rétablir avec l'Allemagne et avec l'Italie des relations confiantes. [...] Pour moi, Français, je voudrais que, demain, nous puissions aimer une Europe dans laquelle la France aura une place qui sera digne d'elle.

Pour construire cette Europe l'Allemagne est en train de livrer des combats gigantesques. Elle doit, avec d'autres, consentir d'immenses sacrifices, et elle ne ménage pas le sang de sa jeunesse. Pour la jeter dans la bataille elle va la chercher à l'usine et aux champs. Je souhaite la victoire de l'Allemagne parce que, sans elle, le bolchevisme, demain, s'installerait partout.
Discours du 22 juin 1942, anniversaire de l'invasion de l'URSS par la Wehrmacht.

Visite de Pierre Laval à Hitler à Berchstesgaden le 9 novembre 1942. Laval est considéré par la plupart de ses contemporains, puis par l'historiographie, comme l'archétype du « collabo » (Extrait de la brochure *Berchtesgaden, repère du nazisme*).
(Coll. Ch. Le Corre)

avril 1942. Elle se fait plus que jamais en sens unique, à tel point que, dans une curieuse conception de l'indépendance nationale, Vichy croit exister lorsqu'il devance ou outrepasse les exigences allemandes dans le domaine de la discrimination raciale (comme en juillet 1942 lorsque Laval propose la déportation des enfants juifs avec leurs parents, que les nazis n'exigeaient pas) ou dans celui de la répression contre les résistants. L'opération *Attila*, le sabordage de la flotte et le passage de l'empire à la « dissidence » priveront finalement Vichy de toute monnaie d'échange ; la France sera alors totalement inféodée au *Reich* nazi. Finalement, force est de constater que Pétain a perdu sur deux tableaux : les Allemands n'ont jamais joué le jeu et de nombreux patriotes français sincèrement maréchalistes au début se sont éloignés progressivement du régime.

Au niveau des rouages de l'Etat (fonction publique, police, gendarmerie, magistrature, SNCF, PTT), la collaboration revêt différentes facettes. Continuer à exercer des fonctions administratives avec la conscience que cela peut servir aussi les intérêts de l'occupant en constitue la forme banale. Très souvent, les fonctionnaires se contentent d'obéir aux instructions de la

hiérarchie sans manifester aucun zèle. La peur de perdre son emploi dans un contexte économique difficile, la volonté de ne pas se singulariser pour éviter tout ennui, le légalisme expliquent cette attitude globalement passive. Certes, en de nombreuses occasions, le service de l'Etat peut se doubler d'un zèle criminel, mais il peut aussi couvrir des activités de résistance passive ou active.

DES ENTREPRISES ET DES TRAVAILLEURS FRANÇAIS AU SERVICE DE L'ALLEMAGNE

Dans le domaine économique, il en va un peu de même. Pour certains patrons, seule compte la préservation de l'entreprise, surtout lorsqu'elle est familiale. Louis Renault et Marius Berliet se mettent

Affiche vantant les avantages du travail volontaire des ouvriers français en Allemagne.
(Centre d'Etudes Edmond-Michelet, Brive-la-Gaillarde)

Accord conclu sur un pied très inégal, la Relève est censée permettre le retour massif des prisonniers de guerre de 1940. En fait, son succès restera très limité. Cette affiche, qui fait partie d'une vaste campagne sur le thème de la relève, dissimule la réalité des accords qui n'ont fait revenir en France qu'un prisonnier pour trois travailleurs.
(Centre d'Etudes Edmond-Michelet, Brive)

Abel Bonnard,
académicien et ministre
de l'Éducation nationale.
(Coll. Ch. Le Corre)

ainsi au service de l'occupant (qui de ce fait disposera de camions français sur le front russe). Une partie de l'industrie aéronautique française participe également à l'effort de guerre allemand. D'autres attitudes sont dictées par l'appât d'un vulgaire profit (« les affaires sont les affaires »).

Dans une France désorganisée et démembrée, l'Allemand est parfois l'employeur le plus sûr (avec ses bureaux de placement en zone Nord dès novembre 1940 et en zone Sud à partir de mars 1942). L'immense chantier du Mur de l'Atlantique exige des dizaines de milliers d'ouvriers, et de nombreux Français y sont employés, d'autant plus que les salaires sont parfois avantageux. Un certain nombre de volontaires vont même travailler en Allemagne à l'appel du gouvernement : 300 000 peut-être, selon des estimations récentes, dont 40 000 femmes. Laval imagine ensuite le système de la « Relève », annoncé dans son discours du 22 juin 1942 :

rapatriement d'un prisonnier en échange de trois travailleurs volontaires pour l'Allemagne, avec peu de succès.

LA COLLABORATION INTELLECTUELLE

Si la plupart des collaborateurs l'ont été pour défendre au fond leurs propres intérêts, quelques Français ont partagé avec l'occupant de véritables affinités idéologiques. Certains écrivains, dès l'avant-guerre, s'étaient montrés séduits par l'idéal fasciste et se sont fait les thuriféraires de l'Allemagne nazie, comme Pierre Drieu La Rochelle, directeur de la *Nouvelle Revue française*, qui admire la « jeunesse » du fascisme et voit en lui un moyen de « régénérer » l'Europe « décadente ». Autour d'un autre écrivain reconnu, Robert Brasillach, l'équipe de *Je suis partout* pratique un antisémitisme volontiers ordurier, que l'on retrouve dans d'autres journaux, comme *La Gerbe*.

La collaboration intellectuelle prend par exemple la forme de ce voyage en Allemagne en octobre 1941 de sept écrivains français invités à un congrès par le docteur Goebbels, maître de la propagande nazie : les inévitables Brasillach et Drieu sont accompagnés d'Abel Bonnard, académicien ; de Robert-Jacques Chardonne, directeur des éditions Stock ; de Ramon Fernandez, critique littéraire ; d'André Fraigneau, conseiller littéraire chez Grasset, et de Marcel Jouhandeau. Certains acteurs n'hésitent pas eux non plus à s'engager dans la même voie. En avril 1942, Albert Préjean, de retour d'un voyage qui l'a conduit en Allemagne aux côtés de plusieurs vedettes de cinéma parmi les plus célèbres, préconise « une

Pendant la guerre, la vie parisienne continue. Arletty (1898-1992) converse avec le metteur en scène Jean Boyer au cours d'un tournage à l'automne de 1942. En septembre 1944, la célèbre actrice sera arrêtée pour avoir entretenu une liaison avec un officier allemand (*Sept jours*, 7 décembre 1942).
(Coll. Ch. Le Corre)

C'est en pleine guerre que quelques privilégiés découvrent les premières émissions de Paris-Télévision (contrôlée par la Compagnie des compteurs et Telefunken), qui émet à partir de 1943 depuis la tour Eiffel (*La Semaine*, novembre 1941).
(Coll. Ch. Le Corre)

collaboration fraternelle » entre comédiens français et allemands.

Sans qu'il s'agisse toujours à proprement parler de collaboration, de nombreuses figures de la vie parisienne adoptent une attitude plus ou moins indécente (avec l'excuse facile que « la vie doit continuer », que « la France doit rester la France »). Paradoxalement, les années sombres connaissent une brillante vie littéraire et artistique. Pour oublier la grisaille du quotidien, les Français se pressent au cinéma (de 200 millions de spectateurs en 1938 on passe à 300 millions en 1943). La période de l'Occupation voit la sortie de véritables chefs-d'œuvre produits par la société allemande Continental comme, en 1942, *Les Visiteurs du soir* de Marcel Carné et Jacques Prévert et *L'assassin habite au 21* d'Henri-Georges Clouzot.

Les théâtres ne désemplissent pas : Raimu, Jean-Louis Barrault, le jeune Gérard Philipe recueillent les faveurs du public, tout comme d'ailleurs les compagnies allemandes en tournée. La période voit de nombreuses créations : *La Reine morte* (1942) d'Henry de Montherlant, *Les Mouches* (1943) de Jean-Paul Sartre, *Sodome et Gomorrhe* (1943) de Jean Giraudoux. *Premier de cordée* (1941) de

Roger Frison-Roche ou *L'Etranger* (1942) d'Albert Camus sont des succès d'édition. Tino Rossi, Fernandel, Edith Piaf et Maurice Chevalier sont toujours aussi populaires et, tandis que les « zazous » font preuve d'une certaine impertinence vis-à-vis des autorités, Serge Lifar reçoit les Allemands à l'Opéra et Sacha Guitry, le plus célèbre des auteurs « de boulevard », ne craint pas de se montrer à leurs côtés.

Le 15 décembre 1940, une cérémonie solennelle est organisée à Paris pour recevoir les restes de l'Aiglon (le fils de Napoléon Ier) dont Hitler a autorisé le transfert en France pour servir sa propre image. En mai 1942, le « tout-Paris » se presse à l'exposition Arno Breker, sculpteur officiel du IIIe Reich. Les services de propagande allemands organisent une réclame tantôt grossière, tantôt beaucoup plus subtile au bénéfice du nazisme par le relais de Radio Paris et de son éditorialiste Jean Hérold-Paquis ou de journaux français aux ordres

Le 15 décembre 1940, les cendres de l'Aiglon sont transférées aux Invalides auprès de celles de son père, Napoléon Ier. Pétain a refusé de présider la cérémonie, provoquant la colère des Allemands (*La Semaine*, 24 décembre 1942).
(Coll. Ch. Le Corre)

(comme *L'Echo de Nancy*, dirigé par deux Allemands). Forcément lue par le plus grand nombre car seule autorisée – et l'on y trouve les très attendus avis de ravitaillement –, cette presse renforce jusqu'en 1942 la résignation du peuple français devant le caractère apparemment inéluctable de la victoire finale de l'Allemagne.

ACCROISSEMENT DE L'ARMEMENT ENTRE 1941 ET 1943

LE POTENTIEL DE L'ÉCONOMIE DE GUERRE ALLEMANDE

Affiche de propagande allemande destinée à entretenir le sentiment d'impuissance des Français face au caractère inéluctable de la victoire du nazisme. L'occupant souhaite montrer combien la lutte est vaine contre la « puissante Allemagne » et qu'il ne sert donc à rien d'entreprendre des actions « terroristes » puisque jamais les Alliées ne pourront débarquer.
(Centre d'Études Edmond-Michelet, Brive-la-Gaillarde)

L'ENGAGEMENT MILITANT : LES PARTIS DANS LA FRANCE DES ANNÉES SOMBRES

Aussi curieux que cela puisse paraître, la zone occupée connaît un foisonnement de partis, qui toutefois ne recouvrent pas – et loin s'en faut – l'ensemble de l'échiquier politique d'avant-guerre. C'est parmi le personnel de ces formations que se recrutent ceux qui se font eux-mêmes appeler les « collaborationnistes », que les Allemands utilisent dans un jeu complexe contre Vichy. Des feuilles telles que *La France au travail*, *Aujourd'hui* ou *Atelier* contestent les valeurs traditionnelles défendues par les maréchalistes et, ce qui s'explique probablement par la présence à leur tête d'un certain nombre d'anciens internationalistes, elles se positionnent souvent sur le créneau « européen » (une Europe dominée par l'Allemagne, bien entendu), reprochant à Vichy son nationalisme « dépassé ».

LES NATIONALISTES BRETONS
La débâcle encourage le Conseil national breton, formé de certains activistes du PNB (Parti national breton) fondé en 1931, à présenter son programme autonomiste à Pontivy, le 3 juillet 1940. Les Allemands, qui manipulent ces activistes contre Vichy, libèrent certains individus « triés » dans les camps de prisonniers. Pour des raisons tactiques et non idéologiques (car il ne faut pas tout de même trop affaiblir l'Etat français), Delaporte, autonomiste et catholique, leur convient mieux que Mordrel, indépendantiste et païen.

Raymond Delaporte, président du PNB, lors d'une réunion des cadres du PNB de l'arrondissement de Quimper le 10 décembre 1941.
(Musée de Bretagne)

Malgré la propagande du journal *L'Heure bretonne*, le chantage à la libération des prisonniers et l'illusion de pouvoir échapper au STO en adhérant au PNB, ses effectifs restent faibles : 1 500 à 5 000 membres, tout de même largement au-dessus des 300 d'avant guerre. A partir de l'automne de 1943, la Résistance (surtout communiste) s'en prend indifféremment aux indépendantistes et aux bretonnants modérés qui évoluent dans leur sillage, tel l'abbé Perrot, défenseur des sermons en breton, assassiné en décembre 1943 à Scrignac. La « formation Perrot », née d'une scission du *Bagadou Stourm*, service d'ordre du PNB, qui s'appropria abusivement son nom après sa mort, s'illustra par des atrocités sous l'uniforme des *Waffen SS* en 1944. Soixante-cinq à quatre-vingts soldats perdus firent un tort immense au mouvement breton – et au-delà à la culture bretonne en général –, marqué pendant des décennies du sceau de l'infamie, ou au mieux du soupçon, avant de renaître dans les années soixante.

En Alsace-Moselle, en Flandre, en Corse, quelques égarés du régionalisme, très minoritaires au sein même de leur mouvement, se mirent aussi au service de l'occupant, alors qu'on retrouve d'autres membres des courants autonomistes dans la Résistance.

Premier congrès du Rassemblement national populaire de Marcel Déat, salle de la Mutualité à Paris (14 juin 1941) (*La Semaine*, 26 juin 1941). (Coll. Ch. Le Corre)

Le Rassemblement national populaire (RNP), fondé en février 1941, s'engage résolument du côté du nazisme, préconisant la participation de la France à la guerre, déversant dans *L'Œuvre* des flots de haine contre les Juifs, les francs-maçons, les gaullistes, les chrétiens, les communistes et les Anglo-Saxons. « La France se couvrira de camps de concentration, et les pelotons d'exécution fonctionneront en permanence, écrit dès août 1940 l'ancien socialiste Marcel Déat, son inspirateur. L'enfantement d'un nouveau monde se fait dans la douleur. »

Pourtant, il est dépassé dans la surenchère par le Parti populaire français (PPF) de Jacques Doriot, ancien haut responsable communiste, très anticapitaliste mais favorable à la défense de la propriété paysanne et des petits commerçants et artisans. Admirateur du nazisme, le PPF calque son discours et jusqu'au décorum de ses meetings sur ceux du « grand frère » allemand. Doriot fanatise ses troupes, sans pouvoir susciter de mouvement de masse. L'action politique du PPF se double d'une violence intrinsèque avec l'assassinat de l'ancien ministre du Front populaire Max Dormoy en juillet 1941 et avec l'agitation menée par ses « gardes françaises ».

Jacques Doriot (1898-1945), l'un des collaborationnistes les plus extrémistes, passé du parti communiste à l'admiration sans bornes du nazisme au cours d'une carrière politique tortueuse. Il porte ici la croix de fer qu'il a obtenue en combattant – pendant peu de temps d'ailleurs – au sein de la LVF. (DR)

Pierre Clémenti, 31 ans, chef d'une petite formation collaborationniste, le Parti français national collectiviste (juin 1941) (*La Semaine*, 26 juin 1941).
(Coll. Ch. Le Corre).

La Ligue française de Pierre Costantini, le parti franciste de Jacques Bucard, le groupe Collaboration, les Jeunes de l'Europe nouvelle, le Mouvement social révolutionnaire (animé à partir de la fin de 1940 par Eugène Deloncle, ancien chef de la Cagoule) complètent ce tableau.

Avec l'insolence que confère le sentiment de la toute-puissance, un militant arrache le chapeau d'un « bourgeois » qui ne s'était pas découvert devant les 5 000 francistes venus rendre hommage au Soldat inconnu (été de 1943). « La France d'aujourd'hui ne souffre plus le Français d'hier dans son sein », commente le journaliste du magazine allemand *Signal* qui diffuse cette photographie. Avec une phraséologie calquée sur celle du communisme haï, les ultras de la Révolution nationale entendent eux aussi créer un « homme nouveau » (*Signal*, septembre 1943).
(Coll. Ch. Le Corre)

SOUS LES PLIS DU DRAPEAU

FRANCE

LA
L.V.F
LEGION DES VOLONTAIRES FRANÇAIS
COMBAT POUR L'EUROPE

Le thème de la défense de l'Europe contre la barbarie bolchevique séduit un certain nombre de jeunes Français, décidés à dépasser les anciens nationalismes pour « sauver la civilisation », même s'ils doivent pour cela revêtir l'uniforme de l'ennemi.

(Centre d'Etudes Edmond Michelet, Brive-la-Gaillarde)

L'APPEL AUX ARMES

Avec la création de la Légion des volontaires français contre le bolchevisme (LVF) par Doriot, Costantini, Deloncle et Déat, un pas supplémentaire est franchi dans la collaboration puisque cette fois de jeunes Français combattent aux côtés des soldats de la *Wehrmacht*. Engagés dès août 1941 dans la bataille pour Moscou, ils sont ensuite chargés de la lutte contre les partisans russes en 1942 et 1943. Les militants du PPF sont particulièrement nombreux dans cette unité, qui comptera 6 500 hommes environ ; Doriot lui-même gagne le grade de lieutenant sur le front de l'Est et y obtient la croix de fer. Les motivations des légionnaires sont diverses : à côté de « croisés » persuadés de défendre la « civilisation chrétienne » contre la « barbarie bolchevique », on trouve des fascistes convaincus désireux de bâtir « l'Europe nouvelle », des aventuriers et des soudards ivres de pillage.

A partir de l'été de 1943, une campagne de recrutement de Français pour la *Waffen SS* est lancée. Rassemblés à la caserne Clignancourt, quelques centaines de volontaires partent

Quelque part en Russie au cours de l'hiver de 1941-1942 : le colonel Roger Labonne, commandant de la LVF, penché sur la carte des opérations en compagnie du lieutenant Jean Fontenoy, dirigeant du Mouvement social révolutionnaire (*Signal*, février 1942).

(Coll. Ch. Le Corre)

GION **DES VOLONTAIRES FRANÇAIS** CONTRE LE BOLCHEVISME
BUREAU DE RECRUTEMENT

DEFENSE AUX
JUIFS
DE STATIONNER DEVANT
CETTE VITRINE

Un des bureaux de recrutement de la LVF à Paris (juillet 1941).
(BnF, Cabinet des estampes, coll. Safara)

ensuite faire leurs classes à Sentheim, en Alsace annexée, puis à Bad Tölz, en Bavière, pour les futurs officiers. A l'automne de 1944, les survivants de la LVF, les SS français et plus de 2 000 miliciens sont fondus dans la brigade puis division *Charlemagne*, décimée dans les combats contre les Soviétiques en Poméranie en mars 1945. Les SS français du bataillon Fernet comptent parmi les derniers défenseurs de Berlin, dans le secteur de la chancellerie, le 2 mai 1945.

La collaboration et l'engagement militaire aux côtés de l'Allemagne nazie sont loin d'être un phénomène uniquement français. Jeunes recrues danoises de la Waffen SS à l'entraînement dans le camp de Cernay, en Alsace annexée (*Signal*, juillet 1941).
(Coll. Ch. Le Corre)

LA FRANCE LIBRE

Un insigne France libre (émail et cuir).

(Centre d'Etudes Edmond-Michelet, Brive-la-Gaillarde)

Page de gauche :
Les marins de la France libre en compagnie de leur mascotte.

(Coll. Ch. Le Corre)

A partir du printemps de 1940, l'Angleterre est devenue la seule base de repli possible des gouvernements en exil de Tchécoslovaquie, Pologne, Pays-Bas, Belgique et Norvège. La France, dont le gouvernement légal (Vichy) est reconnu par presque toutes les puissances, y est représentée par ceux qui se dénomment « Français libres ».

UN GÉNÉRAL À TITRE TEMPORAIRE

Charles de Gaulle, sous-secrétaire d'Etat à la Défense nationale dans le cabinet Reynaud depuis le 6 juin 1940, gagne l'Angleterre le 17 juin au moment de la formation du gouvernement Pétain. Le 18 juin, il lance sur les ondes de la BBC un appel à poursuivre la lutte, qui est très peu entendu, bien qu'il soit répété à plusieurs reprises au cours des jours suivants. Les « Français libres » ne sont au départ qu'une poignée (7 000 en juillet 1940, mais dix fois plus à l'automne de 1941) : des aviateurs, des marins, des anciens de Narvik, les pêcheurs de l'île de Sein et des rescapés de Dunkerque.

L'amiral Muselier, le juriste René Cassin et le directeur de société René Pleven sont les seules figures jouissant d'une petite notoriété parmi les premiers compagnons du « général rebelle » que, faute de voir arriver à Londres des personnalités plus

EXTRAITS DE L'APPEL DU 18 JUIN

Certes, nous avons été, et nous sommes submergés par la force mécanique, terrestre et aérienne de l'ennemi. [...] Mais le dernier mot est-il dit ? L'espérance doit-elle disparaître ? La défaite est-elle définitive ? Non ! [...]

Car la France n'est pas seule ! Elle n'est pas seule ! Elle n'est pas seule ! Elle a un vaste Empire derrière elle. Elle peut faire bloc avec l'Empire britannique qui tient la mer et continue la lutte. Elle peut, comme l'Angleterre, utiliser sans limite l'immense industrie des Etats-Unis. Cette guerre n'est pas limitée au territoire malheureux de notre pays. Cette guerre n'est pas tranchée par la bataille de France. Cette guerre est une guerre mondiale. [...]

Moi, général de Gaulle, actuellement à Londres, j'invite les officiers et les soldats français qui se trouvent actuellement en territoire britannique ou qui viendraient à s'y trouver [...] à se mettre en rapport avec moi. Quoi qu'il arrive, la flamme de la résistance française ne doit pas s'éteindre, et ne s'éteindra pas.

Charles de Gaulle à la BBC, 18 juin 1940.

Manuscrit de l'appel du 18 juin.

Poste de radio de l'île de Sein.

(Photo H. Bancaud)

Le général de Gaulle à Londres, en compagnie de son officier d'ordonnance, le lieutenant de Courcel (été de 1940).

(BnF, Cabinet des estampes)

prestigieuses, les Britanniques reconnaissent, le 28 juin 1940. Ses rapports avec Churchill seront souvent assez difficiles. « Force nous était d'obtenir des Anglais l'indispensable, écrit-il dans *L'Appel* en 1954, tout en maintenant à leur égard une indépendance résolue. De cet état de choses devaient résulter maintes frictions. » Condamné à mort par le tribunal militaire de Clermont-Ferrand le 2 août 1940, de Gaulle a en tout cas franchi le point de non-retour. Pour expliquer son combat et susciter des adhésions, il crée dans le monde entier des comités de Français libres et ses partisans s'expriment à la BBC, dans l'émission « Les Français parlent aux Français », animée notamment par Maurice Schumann et Paul-Jacques Kalb dit « Jacques d'Alsace ».

René Pleven (1901-1993), rallié de la première heure au général de Gaulle, qui le nomme commissaire national à l'Economie, aux Finances et aux Colonies.
(Coll. Ch. Le Corre)

Le « Général » se donne également une envergure politique. Le 24 septembre 1941, il forme le Comité national français, dont il prend la tête ; mesure qui suit la publication d'un *Journal officiel* et l'institution d'un ordre de la Libération. Dans un discours au Royal Albert Hall le 15 novembre 1941, il définit les trois objectifs de son mouvement : libérer la France, rendre la parole au peuple français et mettre en place de nouvelles institutions.

Les volontaires du corps féminin des FFL à Londres.
(Coll. Ch. Le Corre)

Avec ce « de Gaulle « là,
vous ne prendrez rien, M.Mrs..

Vichy raille les prétentions des Anglo-Saxons à s'installer à Dakar et la faiblesse du général de Gaulle après l'échec du débarquement de septembre 1940. Vichy joue sur l'attachement des Français à leur flotte restée intacte et invaincue. Après l'armistice, elle représente pour encore beaucoup d'entre eux « l'honneur » de l'armée et de la France.

(Centre d'Etudes Edmond-Michelet, Brive-la-Gaillarde)

près de renoncer à son combat car sa crédibilité est aussi considérablement diminuée vis-à-vis de Churchill. Seul le récent ralliement des établissements français de l'Océanie et de l'Inde, de l'Afrique-Equatoriale – grâce à Félix Eboué, gouverneur du Tchad –, du Cameroun puis, en novembre, du Gabon, lui donne la force de continuer. Pour administrer ces territoires, il crée, le 27 octobre 1940, le Conseil de défense de l'Empire.

Les premiers combats auxquels participent les Français libres se déroulent contre les Italiens. Le 1er mars 1941, Philippe de Hauteclocque dit « Leclerc » leur enlève l'oasis de Koufra (Libye) après une odyssée de 1 700 kilomètres dans le désert. Il y fait le serment de ne s'arrêter que lorsque le drapeau français flottera de nouveau sur Metz et Strasbourg. Au bout de deux ans de campagne au Fezzan, sa colonne arrive à Tripoli le 26 janvier 1943 et opère sa jonction avec les Britanniques. Pour leur part, le général Legentilhomme et le colonel Magrin-Verneret dit « Monclar » participent aux côtés des Britanniques et des Sud-Africains à la conquête des possessions italiennes de la Corne de l'Afrique (où la prise de Kub Kub en Erythrée, le 23 février 1941, constitue la première victoire de la France libre).

Colonne blindée des FFL
dans le désert de Tripolitaine.
(Coll. Ch. Le Corre)

LES PREMIÈRES OPÉRATIONS MILITAIRES DE LA FRANCE LIBRE

L'empire devient le premier enjeu de la France libre et son seul véritable réservoir potentiel de soldats. Les 23-25 septembre 1940, de Gaulle subit pourtant un cuisant échec devant Dakar. Les forces de Vichy lui résistent et l'artillerie anglo-française libre ouvre le feu, tuant 184 civils et militaires. Encore sous le coup de l'affaire de Mers el-Kébir, l'opinion s'indigne contre ce général qui fait verser du sang français. De Gaulle est alors

L'ESCADRILLE NORMANDIE-NIÉMEN

En janvier 1942, de Gaulle décide de rendre effective la solidarité de la France libre avec l'URSS par l'envoi sur le front de l'Est d'un groupe de chasse baptisé *Normandie*, venu du Liban. Au-delà de cet apport symbolique il s'agit aussi pour lui d'obtenir le soutien de Staline dans le long combat qu'il mène contre les Anglo-Américains pour gagner la pleine reconnaissance de sa légitimité. Les premiers pilotes – ils seront 96 en tout – et mécaniciens français arrivent à Ivanovo le 29 novembre 1942. Ils participent à la bataille à partir du 22 mars 1943, notamment à bord d'avions *Yak-9*. Le 1er janvier 1944, le groupe, dont les effectifs ont fortement augmenté, se mue en régiment. Un peu plus tard, pour le remercier du concours qu'il a apporté au franchissement du Niémen, Staline décide d'accoler le nom de ce fleuve à son patronyme initial. Crédité de 273 victoires officielles et de 37 probables, *Normandie-Niémen* comptera finalement dans ses rangs quatre « héros de l'Union soviétique ».

En Afrique du Nord, le général Weygand, délégué général nommé par Pétain le 7 septembre 1940, s'oppose vite à Vichy qui a accepté de laisser des renforts destinés aux troupes allemandes et italiennes de Libye transiter par la Tunisie, et même de leur céder la base de Bizerte par les protocoles de Paris en mai 1941, négociés par Darlan. Weygand est rappelé, tandis que les succès de Rommel rendent l'accord inutile. Dans la région, les Forces françaises libres (FFL) opèrent désormais aux côtés des troupes britanniques. Au tournant des mois de mai et de juin 1942, les 3 000 hommes du général Kœnig barrent la route de l'Egypte aux forces germano-italiennes pendant quatorze jours à Bir-Hakeim en Libye, avant d'échapper à l'*Afrika Korps* et de rejoindre les Anglais. Ce premier grand fait d'armes de la France libre a un énorme retentissement. De leur côté les Forces aériennes françaises libres (FAFL), basées pour l'essentiel en Angleterre et en Ecosse, participent à de nombreuses missions d'observation, de chasse et de bombardement au-dessus du continent. Quelques pilotes servent aussi isolément dans la *Royal Air Force*, tel Pierre Clostermann, commandant d'un groupe de combat.

Aviateurs du groupe Lorraine des Forces aériennes françaises libres posant à côté d'un *Mawker Typhoon* qui arbore les bandes d'invasion du 6 juin 1944. À l'arrière-plan un *A 20 Boston*.
(Coll. T. Le Sant)

En réponse aux attentats communistes, les Allemands fusillent les militants capturés ainsi que des otages pris au hasard. Les sinistres avis d'exécution fleurissent sur les murs des villes et villages de France.

L'UN DES PREMIERS HÉROS DE LA FRANCE LIBRE

Le 29 août 1941, Honoré d'Estienne d'Orves et ses compagnons, le Néerlandais Doornik et le Lorrain Barlier, conduits de Fresnes au Mont-Valérien, gagnent le poteau en chantant des cantiques. Leurs derniers mots sont pour rappeler leur amour de la France et pardonner à leurs bourreaux.

D'Estienne d'Orves, héritier d'une longue tradition légitimiste et catholique, breveté de l'Ecole de guerre navale en 1936, stationne à Alexandrie en mai 1940. Après Mers el-Kébir rares sont les officiers de marine qui songent à rejoindre Londres ; il est pourtant de ceux-là. Le voilà rapidement promu chef du 2e bureau des FFL. Il monte le réseau *Nemrod* et débarque à Plogoff le 21 décembre 1940. Il organise alors des missions à Paris et en Bretagne, mais sans doute trop confiant, il est arrêté à Nantes au bout d'un mois d'activité. Condamné à la peine capitale, il entreprend alors un véritable cheminement mystique vers la mort, accompagné par Franz Stock, un prêtre allemand qui illumine les cachots nazis.

La légende d'Estienne d'Orves naît aussitôt après sa disparition. Londres attribue (à tort) son exécution à Vichy, contribuant à détacher du régime une partie de l'armée, tandis que le parti communiste le récupérera dans sa politique de « main tendue » et qu'Aragon le prendra pour modèle de « Celui qui croyait au Ciel ».

Une compagnie légère du désert, formée de combattants syriens restés fidèles au gouvernement de Vichy, s'apprête à défiler dans les rues d'Alep (*La Semaine*, 12 juin 1941).

(Coll. Ch. Le Corre)

L'une des pièces maîtresses de l'organisation militaire mise en place par de Gaulle pour libérer la France est le Bureau central de renseignements et d'action (BCRA). Dirigé par le colonel Dewavrin dit « Passy », polytechnicien, il s'efforce de créer des réseaux, d'équiper la Résistance en matériel logistique, en armes et en munitions, de fournir de faux papiers. A partir de l'été de 1941 surtout, les parachutages permettent à de nombreux groupes de vivre et de s'accroître. Les avions *Lysander* rendent possibles des allers-retours dans les deux sens. Cependant, la France libre n'est pas épargnée par les querelles internes et les intrigues, comme cette brouille de l'amiral Muselier, l'inventeur de la croix de Lorraine, avec de Gaulle en mars 1942.

En Syrie se déroulent des affrontements fratricides. De Gaulle croit pouvoir rallier ce territoire à sa cause avec le concours armé des Britanniques (8 juin 1941). Piqués au vif par cette intervention étrangère,

les 30 000 soldats du général Dentz leur résistent pendant plusieurs semaines, avant de conclure un armistice le 14 juillet. Mille pétainistes, 200 gaullistes et 1 500 Britanniques ont été tués : un véritable gâchis ! Cette intervention marque certes un coup d'arrêt aux menées allemandes au Moyen-Orient, mais elle renforce surtout l'emprise britannique sur la région. D'autres combats entre Anglais et forces de Vichy ont lieu l'année suivante à Madagascar (mai-novembre 1942), où Londres craint de voir les Japonais installer une base aéronavale après leur raid sur Ceylan (500 Français sont tués, les autres internés et l'île passe sous la tutelle gaulliste).

LE DÉBARQUEMENT ALLIÉ EN AFRIQUE DU NORD

Ayant déjà défini leur vision du monde par la Charte de l'Atlantique (12 août 1941), la Grande-Bretagne et les Etats-Unis adoptent une stratégie commune

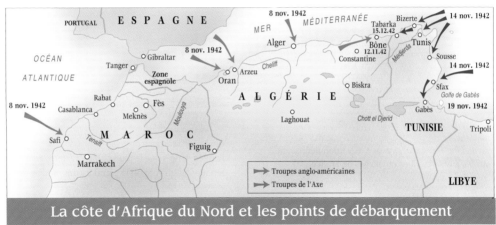

La côte d'Afrique du Nord et les points de débarquement

D'après : Barroux (Robert), *Histoire générale illustrée de la Deuxième Guerre mondiale*, Paris, Quillet, 1947, vol. 2, p. 62.

Le débarquement des troupes anglo-américaines en Afrique du Nord. Novembre 1942 (*Point de vue*, 9 juin 1949).

après Pearl Harbour (9 décembre 1941) et mettent en commun leurs moyens militaires et économiques. Pour reprendre l'initiative à l'Ouest ils décident un débarquement en Afrique du Nord sous le commandement du général américain Eisenhower. Le 8 novembre 1942, ils déclenchent l'opération *Torch*, préparée sur place par le « Comité des Cinq » dominé par l'industriel Jacques Lemaigre-Dubreuil, ancien de la Cagoule, et par le monarchiste Henri d'Astier de La Vigerie.

Si à Alger l'amiral Darlan, qui se trouve fortuitement sur place, et le général Juin sont vite neutralisés, des combats ont lieu à Oran et au Maroc (qui font 1 827 morts français). Darlan compose avec les nouveaux venus, aussitôt désavoué par Vichy. Le 13 novembre, cet anglophobe invétéré devient haut-commissaire en Afrique du Nord sous protection anglo-américaine et il obtient aussitôt le ralliement de l'Afrique-Occidentale française à la cause des Alliés. Mais, à la veille de Noël, il est assassiné par un monarchiste – fort à propos, assurément, pour beaucoup d'acteurs des événements en cours –, dans des circonstances encore mal éclaircies.

L'arrivée des Alliés en Afrique du Nord offre aux Français hostiles à la collaboration une véritable assise territoriale.

Cependant, de Gaulle, chef de la « France combattante » (qui a succédé à la « France libre » depuis juillet), a été laissé dans l'ignorance du débarquement par les Américains, et n'en tire aucun profit immédiat. Après la disparition de Darlan, le nouvel homme fort – leur homme – est le général Giraud, patriote évadé d'Allemagne, mais piètre homme politique. Toujours très respectueux de la personne du maréchal, loin de renier la Révolution nationale, il maintient les lois de Vichy dans les territoires qu'il administre. Le giraudisme présente l'avantage de « recycler » les pétainistes de 1940, désormais déçus par le maréchal, mais peu enclins à se réconcilier avec le « rebelle » de Londres qui a eu raison avant eux.

La rencontre entre les deux généraux français à Anfa, au Maroc, les 22-25 janvier 1943, est tendue. Cependant, le 3 juin, est fondé le Comité français de libération nationale (CFLN), avec une présidence bicéphale. De Gaulle finit par s'imposer en s'appuyant sur la

La conférence d'Anfa (dite « de Casablanca ») réunit Giraud, Roosevelt, de Gaulle et Churchill en janvier 1943 (extrait de *6 juin 1944, débarquement en Normandie*, par le général Compagnon, Editions Ouest-France, 2000).

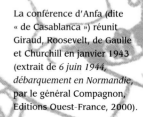

Résistance intérieure et en faisant passer son adversaire pour une créature des Anglo-Saxons. Giraud, bientôt cantonné aux tâches militaires, est écarté de la coprésidence en novembre 1943 et abandonnera toute responsabilité en avril 1944. Le Gouvernement provisoire de la République française (GPRF) prend alors la suite du CFLN (3 juin 1944), étant entendu que son autorité s'étendra à l'ensemble du territoire national au fur et à mesure qu'il sera libéré.

Mohammed el-Moncef, bey de Tunis de juin 1942 à mai 1943, à la « une » du magazine de propagande allemand *Signal*. Forcé d'abdiquer pour collaboration, il meurt en exil à Pau en 1948 (*Images du monde*, 5 février 1946).
(Coll. Ch. Le Corre)

Vision satirique de la conférence d'Anfa par un caricaturiste vichyste, qui se gausse de la rivalité notoire entre de Gaulle et Giraud (*La Semaine*, 4 mars 1943).
(Coll. Ch. Le Corre)

Un convoi d'avions de chasse Douglas A 24 traverse les rues de Casablanca pour rejoindre le terrain d'aviation (extrait de la brochure *Roosevelt et la France*).
(Coll. Ch. Le Corre)

LA CAMPAGNE DE TUNISIE

En Tunisie le général Barré, commandant des troupes vichystes, adopte une attitude attentiste, qui fait finalement le jeu des Allemands, en leur donnant le loisir d'occuper Tunis et Bizerte. Pendant que les Britanniques progressent dans l'Est algérien, un corps expéditionnaire germano-italien s'empare de toute la Tunisie, faisant sa jonction avec l'*Afrika Korps* de Libye. En janvier 1943, une rude bataille oppose sur la Dorsale tunisienne le général Juin, passé du côté des Forces françaises libres (FFL), et les Allemands du général von Arnim qu'il veut couper des forces de Rommel. Après des semaines de combats indécis, et tandis que Rommel a quitté l'Afrique en mars, les Alliés finissent par enfermer leurs ennemis dans la tête de pont de Tunis, où les derniers combattants de l'*Afrika Korps* se rendent le 13 mai.

La France combattante dispose désormais d'une armée relativement fournie et crédible, mais l'amalgame entre les gaullistes et les giraudistes ne se fait pas sans heurts. En tout, jusqu'à leur disparition en juin 1943, les FFL ont compté un effectif de 71 000 hommes, dont 16 % de légionnaires, 18 % de Français de souche (surtout des Bretons, Parisiens et Lorrains, dont beaucoup d'ouvriers, de militaires, d'intellectuels et de fonctionnaires) et 66 % d'indigènes issus de la conscription. Les Forces navales françaises libres (FNFL) ont aligné 5 000 marins et une cinquantaine de bâtiments. L'armée d'Afrique, quant à elle, comprend environ 150 000 hommes. La nouvelle armée française qui naît de cette fusion commence à être digne de considération. A l'été de 1944, elle comptera en effet 560 000 hommes (dont 41 % de Nord-Africains, 20 % d'Africains et beaucoup de Français d'Algérie).

LA CAMPAGNE D'ITALIE

Trop faibles encore dans l'Atlantique et la Manche pour envisager un débarquement au nord-ouest du continent avant le printemps de 1944, les Alliés prennent pied en Sicile puis en Calabre, ce qui provoque le renversement du Duce et la conclusion d'un armistice avec l'Italie (juillet et septembre 1943). En marge de ces opérations, la Résistance corse,

appuyée par Giraud, mais sans le soutien des Américains, soulève l'île contre les Allemands et les Italiens le 9 septembre 1943. De Gaulle se rend à Bastia dès le 5 octobre. La Corse se mue en symbole car libérée par une conjonction des efforts de la France combattante et de la Résistance.

Avec la préparation de l'invasion de la France le front italien est traité en parent pauvre et les opérations s'y éternisent. C'est à peu près au moment où la résistance allemande durcit sur la ligne *Gustav*, au sud de Rome, que le corps expéditionnaire français du général Juin, qui vient d'arriver à Naples, est placé sous les ordres du général Clark (novembre 1943). En dépit d'un débarquement réussi à Anzio, près de Rome (janvier 1944), et des prouesses des tirailleurs tunisiens au

Recrues de l'armée d'Afrique à l'instruction après le débarquement allié (1942-1943) (extrait de la brochure *Formez vos bataillons*).
(Coll. Ch. Le Corre)

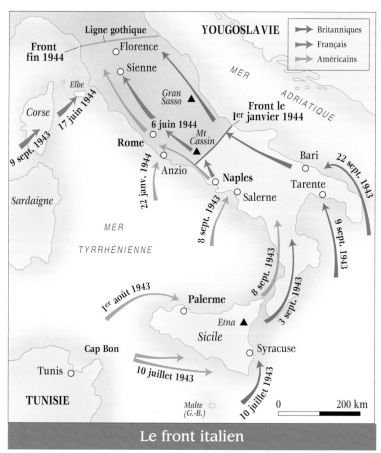

Le front italien

D'après : Wagret (Paul), *Histoire*, classe de 1re, Istra, 1988, p. 300.

Débarquement des troupes françaises en Italie à l'automne de 1943 (extrait de la brochure *Formez vos bataillons*).
(Coll. Ch. Le Corre)

Belvedere, les Alliés piétinent longtemps devant le monastère de Monte Cassino, clé de la défense ennemie. Enfin, à la mi-mai, Juin perce la défense adverse sur le Garigliano et les goumiers marocains du général Sevez traversent les monts Araunci et prennent les Allemands à revers. Le 4 juin, les Alliés entrent dans Rome et, du 17 au 20, la 1re armée française du général de Lattre de Tassigny libère l'île d'Elbe. Plus au nord, ils se heurtent à une seconde position fortifiée : la ligne Gothique entre Pise et Rimini et, en dépit de plusieurs succès, ils ne peuvent atteindre la plaine du Pô avant l'hiver. La campagne d'Italie, où l'armée française a repris son rang dans le camp des Alliés, marque une nouvelle pause.

Les faits d'armes de la France libre et de la France combattante, du désert libyen à l'Alsace, ouvrent au général de Gaulle et à ses soldats les portes du panthéon des gloires militaires nationales (extrait du livret *Général de Gaulle*).
(Coll. Ch. Le Corre)

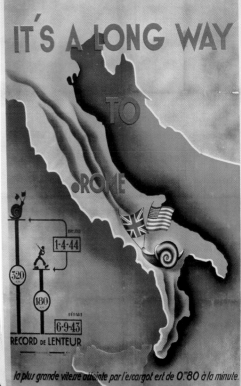

Affiche vichyste raillant les difficultés éprouvées par les Alliés sur la route de Rome (allusion à une célèbre chanson de la Première Guerre mondiale *It's a long way to Tipperary*). On peut souligner ici qu'il y a une erreur de calcul qui accentue l'exagération voulue.
(Centre d'Etudes Edmond-Michelet, Brive-la-Gaillarde)

ILS ASSASSINENT !
ENVELOPPÉS DANS LES PLIS DE
NOTRE DRAPEAU

L'ARMÉE DES OMBRES ET LES MARTYRS

Exécution de Vilmus,
résistant, par des miliciens
au palais du Pharo,
à Marseille (date inconnue).
(Centre d'Etudes Edmond-Michelet,
Brive-la-Gaillarde)

Page de gauche :
Affiche de propagande vichyste
dénonçant derrière chaque
attentat de la Résistance
la « main de Moscou ».
(Centre d'Etudes Edmond-Michelet,
Brive-la-Gaillarde)

Abbé Charles Lair, dit A 204
(1913-1943). Disciple de l'abbé
Alvitre dans la Résistance,
nommé vicaire à la cathédrale
de Tulle en 1941, il s'engage
activement dans la résistance.
Il rend de nombreux services
au réseau Alliance, en abritant
notamment le radio Pie au sein
de la cathédrale. Arrêté par les
Allemands le 19 février 1943,
conduit à Limoges, interrogé,
puis détenu à Fresnes,
il aboutit à la prison de
Ludwigsbourg où il est fusillé.
(Centre d'Etudes Edmond-Michelet,
Brive-la-Gaillarde)

On oublie souvent qu'au cours de la Première Guerre mondiale déjà des actes de résistance avaient été perpétrés contre les Allemands en Belgique et dans le nord de la France (ainsi ces quatre Lillois fusillés à la Citadelle le 22 septembre 1915 pour avoir caché un aviateur anglais et créé un réseau d'évasion de soldats français). Au cours des années 1940 à 1944, cette résistance prend une tout autre ampleur.

UN EMBRYON DE RÉSISTANCE

Dès juin 1940, des isolés qui n'acceptent pas la défaite sont décidés à « faire quelque chose ». La première forme de résistance est d'abord cette inertie que l'on oppose aux Allemands et à Vichy et ces histoires drôles qui circulent pour les ridiculiser : « La collaboration, qu'est-ce que c'est ? – C'est : donne-moi ta montre, je te donnerai l'heure. » La résistance passe aussi par l'écoute de la BBC ou de la radio suisse. Ce sont ces croix de Lorraine, ces « V » de la victoire tracés à la hâte sur les murs, ces affiches de propagande arrachées. Ce sont les premières protestations écrites, par exemple ces tracts dénonçant le « félon » lancés par un groupe de quatre jeunes gens le 10 novembre 1940 lors de la visite du maréchal à Toulouse ; et le lendemain à Paris la manifestation sur la place de l'Etoile où plusieurs dizaines de lycéens et d'étudiants tentent de déposer des fleurs sur la tombe du Soldat inconnu.

Si les résistants viennent de tous les milieux socioprofessionnels et de toutes les familles de pensée, les premiers d'entre eux sont surtout des militants de la droite nationaliste comme Henri Frenay, des démocrates chrétiens comme Edmond Michelet (qui lance le 17 juin 1940 à Brive un appel à poursuivre le combat), des socialistes patriotes comme Daniel Mayer. Dès juillet-août 1940, les premiers envoyés de la France libre prennent de timides contacts avec eux. Des mouvements structurés, aux ambitions aussi bien politiques que militaires, et des réseaux spécialisés dans des tâches précises, aux ramifications de plus en plus complexes, se mettent en place (plus de 250 réseaux seront actifs à un moment ou un autre au cours de la guerre). Certains sont créés à partir de Londres, comme la Confrérie Notre-Dame du militant d'Action française Gilbert Renault dit « Rémy » en mars 1941 (dont fait partie Pierre Brossolette, socialiste et franc-maçon, ce qui illustre bien le caractère « œcuménique » de la Résistance).

En zone occupée les mouvements les plus importants sont l'Organisation civile et militaire et Ceux de la Libération (mouvements de droite), Libération Nord (dirigé par le socialiste Christian Pineau, qui regroupe des membres de la SFIO, de la CGT et de la CFTC), Ceux de la Résistance et Défense de la France. En zone « libre » apparaissent Combat (né à Grenoble en novembre 1941, dirigé par Henri Frenay), Libération Sud (fondé en juillet 1941 à Clermont-Ferrand par Emmanuel d'Astier de La Vigerie) et Franc-tireur (de Jean-Pierre Lévy). En zone interdite et même en Alsace-Moselle annexée, la Résistance s'organise aussi, avec par exemple le réseau Alliance. Le Front national (communiste) et les FTPF (Francs-tireurs partisans français) de Charles Tillon sont présents au Nord comme au Sud.

LES PASSEURS

Le long de la ligne de démarcation pour ceux qui veulent gagner la zone libre ; le long des Pyrénées pour ceux qui cherchent à rejoindre Londres via l'Espagne ; le long des Vosges pour les Alsaciens-Lorrains qui fuient l'incorporation de force et les prisonniers alliés évadés d'Allemagne ; le long du Jura et des Alpes pour ceux qui tentent de passer en Suisse, des Ardennes pour ceux qui fuient la Belgique ; le long des côtes, enfin, pour d'autres candidats à l'émigration vers Londres, des réseaux de passeurs naissent spontanément, qui permettent par des sentiers peu fréquentés de passer « de l'autre côté ». Beaucoup sont démantelés par la trahison ou par la perspicacité des enquêteurs allemands et français ; ils comptent leur lot de traîtres, de rançonneurs mais aussi leurs héros, le plus souvent obscurs, et leurs martyrs (comme Paul Kœpfler à Poligny ou Alfred Gauthier à Nancy). Grâce à eux des dizaines de milliers d'opposants au nazisme et à Vichy peuvent continuer leur lutte sous d'autres cieux ou, plus banalement, sauver leur vie.

Au moment où il passait en revue les recrues de la LVF à Versailles, Pierre Laval est blessé par balle par l'ouvrier Paul Collette (27 août 1941) (*La Semaine*, septembre 1941). (Coll. Ch. Le Corre)

LES AMBIGUÏTÉS DE LA RÉSISTANCE COMMUNISTE

Bien que troublés par le pacte germano-soviétique, la grande majorité des militants et surtout de l'appareil de la SFIC (Section française de l'Internationale communiste), appelée PCF (parti communiste français) à partir de 1943, suivent aveuglément les directives de Moscou et dénoncent en septembre 1939 la « guerre impérialiste » du gouvernement Daladier. Le 26 du même mois le parti est interdit à la suite de l'invasion de la Pologne par l'Armée rouge, mais il subsiste dans la clandestinité et certains de ses membres, poussant la logique pacifiste jusqu'au bout, n'hésitent pas à saboter le matériel de guerre français, notamment les chars Renault. L'anticommunisme est alors très répandu dans la société française. Dans ses tracts clandestins la SFIC ménage les nazis et en juin 1940 ses dirigeants sollicitent

« L'Affiche rouge » placardée par l'occupant pour annoncer le démantèlement du groupe communiste de l'Arménien Misrak Manouchian, responsable d'une soixantaine d'attentats et notamment de l'assassinat du général Schaumburg en juillet 1942 (Manouchian et ses camarades sont exécutés en 1944).

Comme eux, beaucoup d'étrangers ont participé à la résistance (réfugiés politiques d'avant-guerre dont des Juifs de diverses nationalités, des Italiens, des Espagnols, des Autrichiens ; Polonais de France ou arrivés en 1940 ; supplétifs croates, russes, ukrainiens ayant déserté l'armée allemande).

(Centre d'Etudes Edmond-Michelet, Brive-la-Gaillarde)

même, en vain, de l'occupant l'autorisation de faire reparaître *L'Humanité*, qui ira jusqu'à demander le 4 juillet aux ouvriers français de fraterniser avec les soldats allemands. Cela n'empêche pas certains militants de rejeter la ligne du parti, comme Auguste Lecœur, qui met en grève des milliers de mineurs dans le Nord et le Pas-de-Calais en mai-juin 1941.

Le conflit en cours se mue brusquement pour les communistes en « guerre de libération » à partir du 22 juin 1941, lorsque la *Wehrmacht* envahit l'URSS. L'entrée des communistes dans la lutte marque un tournant pour l'histoire de la Résistance. Habituée à la clandestinité, dotée d'un appareil militaire et de dizaines de milliers de sympathisants qu'encadre un noyau de militants très disciplinés, la SFIC lui apporte un renfort indéniable. Une controverse jamais vraiment résolue oppose pourtant les communistes à la plupart des autres résistants : faut-il patiemment créer des réseaux, entreposer des armes et des explosifs en vue de combats et de sabotages futurs, collecter des renseignements afin de faciliter la tâche des Alliés et se mettre à leur service au moment propice ? ou alors faut-il passer à l'« action immédiate » ?

Suivant les directives de Moscou, qui entend enchaîner loin du front russe le plus de soldats allemands possible, les communistes français optent résolument pour la seconde solution. Le 22 août 1941, au moment où la *Wehrmacht* balaie en tempête les plaines russes, Pierre Georges (futur « colonel Fabien ») abat un officier allemand à la station de métro Barbès à Paris. D'autres attentats suivent. « A chacun son boche » : le mot d'ordre séduit une jeunesse avide d'en découdre avec l'occupant. Cette stratégie entraîne de dures représailles sur les populations civiles (dix fusillés à Paris le 16 septembre 1941, d'autres à Châteaubriant le 22 octobre 1941). A partir de la victoire de Stalingrad, au début de 1943, les communistes français recueillent les fruits de l'effort gigantesque fourni par l'Armée rouge et enregistrent de nombreux renforts.

Le 12 août 1941, dans un discours prononcé à Saint-Etienne, Pétain constate la montée des mécontentements : « Je sens se lever depuis quelques semaines un vent mauvais. » La répression s'accentue : 50 000 opposants ont été emprisonnés au début de 1942, et 30 000 internés dans des camps. Sous Darlan déjà des « sections spéciales », créées en août 1941, jugent les communistes. La politique de Laval et les difficultés quotidiennes persistantes ne font qu'augmenter les désillusions des Français. L'occupation de la zone libre, qui démonte définitivement le mythe de l'indépendance de Vichy, et l'instauration du Service du travail obligatoire conduisent dans les réseaux et les maquis une nouvelle génération de résistants, peu nombreux cependant en regard de la grande masse des attentistes.

L'UNIFICATION DE LA RÉSISTANCE

Pour être pris au sérieux par les Alliés, de Gaulle doit pouvoir parler au nom de l'ensemble de la France résistante, c'est pourquoi il tente de se débarrasser de l'image de « général d'Action française » qui lui est associée au départ. En janvier 1942, il envoie en France son homme de confiance, l'ancien préfet révoqué par Vichy Jean Moulin. Socialiste passé au gaullisme par raison, Moulin avait été dépêché à Londres en octobre 1941 par les mouvements de la zone « libre ». Le voilà chargé de convaincre l'ensemble des dirigeants de la Résistance intérieure de s'unir, tâche difficile car les chefs des mouvements se montrent désireux de conserver leur autonomie. En effet, si les services de renseignement de la France combattante reçoivent des informations collectées par la Résistance, d'autres les envoient aux services britanniques et américains ; ils se considèrent comme des interlocuteurs des Alliés au moins aussi légitimes que de Gaulle. De leur côté, les mouvements étrangers, très actifs (républicains espagnols, Polonais, Juifs apatrides), jouent parfois leur propre partition.

A partir de l'automne de 1942, l'Armée secrète, commandée par le général Delestraint, coordonne les activités militaires au Sud. Mais un nouveau mouvement, l'Organisation de résistance de l'armée (ORA), né des décombres de l'armée d'armistice, ne veut dépendre que de l'armée d'Afrique. En janvier 1943, après un an de pénibles efforts, Moulin obtient la création des Mouvements unis de résistance, qui regroupent Combat, Franc-tireur et Libération Sud. Ces MUR sont dotés d'un bureau d'information et de propagande, ainsi que d'un comité national des experts (créé dès juillet 1942), chargé de préparer l'administration de la France libérée.

En zone Nord, en grande partie du fait de l'opposition des communistes, qui ne veulent pas perdre leur position prééminente, l'union s'avère d'abord impossible. Un autre émissaire de Londres, Pierre Brossolette, avec qui Moulin entretient des rapports orageux, obtient tout de même la création en mars 1943 d'un comité de coordination. Malgré l'invasion du sud de la France par l'Italie et l'Allemagne, la culture politique des mouvements des deux anciennes zones demeure assez éloignée. Très hiérarchisé, le monde des résistants est aussi agité de querelles intestines qui nuisent à son efficacité.

Georges Bidault (1899-1983). Principal représentant du courant catholique dans la Résistance, il succède à Jean Moulin à la tête du CNR puis fonde le MRP et assume de nombreuses fonctions dans les gouvernements de la IVe République. Partisan convaincu de l'Algérie française, il s'oppose à de Gaulle au sein de l'OAS et ne rentre en France qu'après l'amnistie de 1968 (*Images du monde*, 5 novembre 1946). (Coll. Ch. Le Corre)

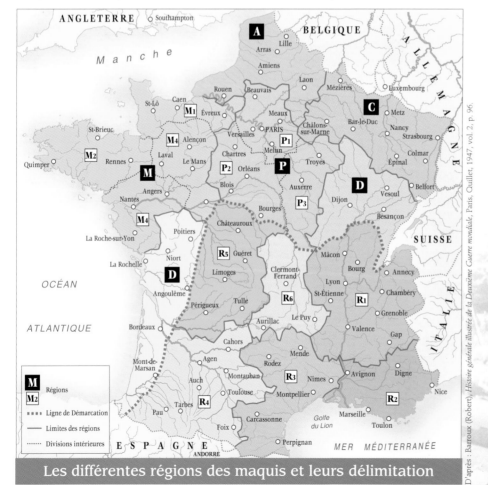

D'après : Barroux (Robert), *Histoire générale illustrée de la Deuxième Guerre mondiale*, Paris, Quillet, 1947, vol. 2, p. 96.

Les différentes régions des maquis et leurs délimitation

Réception de containers parachutés (lieu et date inconnus).
(Centre d'Etudes Edmond-Michelet, Brive-la-Gaillarde)

Un poste émetteur
(dans sa mallette).
(Centre d'Etudes Edmond-Michelet,
Brive-la-Gaillarde)

Le 27 mai 1943, au cours d'une réunion clandestine à Paris, Moulin obtient enfin la création du Conseil national de la Résistance (CNR), dont il prend la présidence. Le CNR fédère les principaux mouvements clandestins, les syndicats CGT et CFTC, six tendances politiques allant de la droite aux communistes et huit mouvements (les trois du Sud mais aussi cette fois cinq du Nord, dont le Front national). L'ensemble des mouvements est désormais placé sous l'autorité du général de Gaulle, avec Giraud pour subordonné. Après l'arrestation de Jean Moulin à Caluire, près de Lyon, le 21 juin 1943 et sa mort sous la torture, le démocrate-chrétien Georges Bidault lui succède à la tête du CNR, flanqué quelques mois plus tard d'Alexandre Parodi, représentant personnel du général de Gaulle. En janvier 1944, les MUR intègrent les mouvements de la zone Nord, donnant naissance au MLN (Mouvement de libération nationale).

LA RÉSISTANCE À L'ŒUVRE

L'une des principales activités de la Résistance consiste à envoyer et à recevoir des messages radiophoniques : Londres a besoin de renseignements. Le travail du « pianiste » (l'opérateur), très technique (du fait notamment du chiffrage des messages), est rendu pénible par le brouillage et les conditions atmosphériques. Il est surtout extrêmement dangereux parce que les Allemands disposent de camionnettes détectrices qui circulent en permanence. Afin d'obtenir des informations, nombre de résistants pratiquent un double jeu parfois ambigu, lui aussi toujours dangereux, en restant à leur poste au sein de l'appareil de Vichy ou même passant en apparence au service des Allemands. La Résistance désigne cette forme d'action sous le sigle NAP (noyautage des administrations publiques).

Les résistants diffusent également des journaux clandestins, comme *Libération Nord*, à partir du 13 décembre 1940, et *Libération Sud*, avec un premier numéro en juin 1941, en tout plus de mille feuilles clandestines différentes au cours de la guerre. *Les Cahiers du Témoignage chrétien*, du Père Chaillet, paraissent à partir de novembre 1941, avec un premier titre qui est un programme : « France, prends garde de ton âme ». Pour beaucoup, en effet, la résistance est une exigence morale. Les Editions de Minuit publient vingt-cinq ouvrages dont *Le Silence de la mer* de Jean Bruller dit « Vercors » (février 1942) et des œuvres de François Mauriac, Louis Aragon, André Malraux, Paul Eluard. De nombreux artistes et écrivains combattent par la plume et parfois même par les armes, comme les acteurs Jean Gabin et Jean Marais dans les troupes de la France combattante. Pour soutenir le moral des résistants vont être composés des chants à leur

LA RESISTANCE EN CORSE

Des patriotes à Ajaccio écoutent le discours du général de Gaulle après l'achèvement de la libération.

gloire, tel le fameux *Chant des partisans* d'Anna Marly, sur des paroles de Maurice Druon et Joseph Kessel (automne de 1943).

La Résistance comporte évidemment aussi une dimension militaire. Les combattants sabotent des lignes électriques et des voies ferrées ; le 26 avril 1944, un énorme dépôt de carburant de la *Kriegsmarine* est incendié à Brest. Des Allemands et des collaborateurs sont la cible d'attentats, comme Philippe Henriot, le 28 juin 1944. Estimés à 800 environ en juin 1944 (regroupant quelque 40 000 hommes), les maquis sont

surtout présents dans les régions boisées et montagneuses, favorables à l'action clandestine. Ils font parfois d'impressionnantes démonstrations de force, comme ce défilé dans les rues d'Oyonnax, le 11 novembre 1943, ou cette opération commando à Lyon, le 23 juin 1944, qui assure l'évasion vers le Vercors de 53 prisonniers de guerre africains.

LA RÉPRESSION ALLEMANDE ET LA GUERRE CIVILE

En France, contrairement à ce qui se passe en Pologne ou en URSS, l'occupant paraît se montrer au début à peu près « correct » à l'égard de la population, tant qu'elle ne lui manifeste pas autre chose

Maquisards corses écoutant le discours du général de Gaulle à Ajaccio au lendemain de la libération de l'île (*Le Courrier de l'Air*, 4 novembre 1943).
(Coll. Ch. Le Corre)

Petit lapin confectionné en tissu, dans lequel étaient passés des messages, également en tissu, à la prison de Fresnes.
(Centre d'Études Edmond-Michelet, Brive-la-Gaillarde)

Sabotage de chemin de fer en haute Corrèze :
une locomotive renversée au pied d'un pont.

e sang des martyrs n a jamais coulé en vain

Dessin à la une du *Témoignage chrétien*, « lien du front de résistance spirituelle » (début de 1944).
(Coll. Ch. Le Corre)

Exécution d'un résistant dans un stand de tir (lieu et date inconnus).

Un pistolet-mitrailleur allemand MP 40.
(Centre d'Études Edmond-Michelet, Brive-la-Gaillarde)

que de l'indifférence. En fait, il apparaît avec le recul que le cycle « attentat-répression » ne fait que radicaliser des intentions et des pratiques inscrites dès le début dans la logique allemande de l'occupation.

L'un des premiers réseaux démantelés est celui dit du Musée de l'Homme (février 1941), qui publiait le journal *Résistance* depuis décembre 1940. La liste des patriotes morts sous la torture ou dans les cachots et des fusillés s'allonge ensuite : le 26 septembre 1943, seize résistants du groupe Guy Môquet, âgés de vingt-trois à seize ans, sont passés par les armes à la Citadelle de

Besançon ; le philosophe Jean Cavaillès est fusillé à Arras le 17 février 1944 ; l'écrivain Robert Desnos meurt dans le camp de Terezin (Tchécoslovaquie) en 1945. L'Organisation de résistance de l'armée comptera en tout 1 558 morts au combat et 790 déportés. Dans les pertes éprouvées, l'ennemi n'est pas toujours seul en cause. Ainsi, les maquis ne reçoivent pas chaque fois le soutien promis par Alger pour faire face aux opérations montées par les Allemands et leurs comparses français. Celui des Glières est réduit en mars 1944, puis celui du Vercors en juillet, tandis que celui du Mont-Mouchet doit se disperser. La répression touche aussi aveuglément les populations civiles afin d'isoler la Résistance et de la priver de ses réseaux.

Les Allemands utilisent la police et la gendarmerie françaises comme auxiliaires pour les tâches les plus déplaisantes : contrôles d'identité, lutte contre les réfractaires au STO, contre les passages de la ligne de démarcation, arrestation d'opposants et

Joseph Darnand (1897-1945).
Héros de la Grande Guerre,
membre de la Cagoule, il finit
sous l'uniforme des officiers
de la *Waffen SS*. Capturé
en Italie après la débâcle
du gouvernement français
en exil à Sigmaringen, il est
fusillé au fort de Châtillon
(*Signal*, n° 1, 1944).
(Coll. Ch. Le Corre)

Un brassard de la Milice.
(Centre d'Etudes Edmond-Michelet,
Brive-la-Gaillarde)

La Milice recrute chez
de jeunes nationalistes
égarés animés par
un idéal anticommuniste,
mais aussi parmi les chômeurs,
les déclassés de la société
et au sein de la pègre.
(Centre d'Etudes Edmond-Michelet,
Brive-la-Gaillarde)

de Juifs, désignation d'otages. Ils superposent au système français leurs propres organismes dont la *Gestapo* (police politique) – qui emploie environ 40 000 auxiliaires français (y compris de nombreux truands) et une brigade nord-africaine –, et le *Sicherheitsdienst* (service de sécurité des SS).

La lutte d'une fraction de la population contre l'occupant étranger se double d'une guerre civile, de plus en plus âpre au fur et à mesure que l'on s'approche du dénouement. Le régime de Vichy se dote en effet lui aussi d'une police politique, la Milice française, créée le 30 janvier 1943 et commandée par Joseph Darnand. Cet

organisme compte 30 à 35 000 hommes en juin 1944, dont 15 000 « francs-gardes » permanents. Les buts et les méthodes (torture et exécutions sommaires) de Vichy se confondent alors avec ceux parmi les plus sinistres de l'occupant. La Milice assassine les anciens ministres Jean Zay et Georges Mandel, le journaliste et homme politique Maurice Sarraut, le banquier Pierre Worms. En janvier 1944, sont instituées des « cours martiales » pour juger et condamner à mort les « terroristes ».

LES DÉPORTATIONS

De nombreux Français sont jetés dans les camps de concentration de l'empire nazi. Le 7 décembre 1941, le décret *Nacht und Nebel* (Nuit et Brouillard) donne pouvoir à la *Gestapo* d'emprisonner, d'exécuter ou de déporter toute personne susceptible « d'intenter à la sécurité de l'armée allemande » dans une région occupée. On estime le nombre des déportés politiques en France à environ 65 000, dont 40 % ne sont jamais revenus.

Le premier grand convoi de Français arrive à Buchenwald le 27 juin 1943. D'autres déportés sont envoyés à Dachau (où meurt le général Delestraint), à Neuengamme ou à Mauthausen, l'un des camps les plus durs. A Dora, des Français comptent parmi les infortunés qui creusent la montagne pour y construire des bases de V 1 et de V 2. Au printemps de 1941, les Allemands établissent un camp en Alsace annexée, au Struthof (commune de Natzwiller, Bas-Rhin), le seul ayant fonctionné sur le territoire français. Onze mille déportés politiques de toute l'Europe occupée y laissent leur vie, dont le général Frère, chef de l'ORA.

François de La Rocque (1885-1946), ancien président des Croix de feu. Arrêté en septembre 1943 et déporté pour faits de résistance, il meurt peu après la guerre des suites de sa captivité.

(Coll. Ch. Le Corre)

Certaines catégories de Français ou d'étrangers résidant en France – Juifs et Tziganes – ne sont pas persécutées pour leurs actes mais simplement pour ce qu'elles sont. Dès octobre 1940, environ 7 000 Juifs chassés d'Allemagne occidentale sont internés au camp de Gurs (Pyrénées-Atlantiques). C'est l'époque où, semble-t-il, les nazis se contentaient encore d'une expulsion générale des Juifs hors du *Reich* et des territoires occupés à destination de la France et de l'URSS par exemple, ou encore de Madagascar. La conférence de Wannsee, le 20 janvier 1942, optera pour la « solution finale », c'est-à-dire l'extermination de tous les Juifs d'Europe.

Le four crématoire du camp de concentration de Natzweiler-Struthof tel que les Américains le découvrirent lors de la Libération.

(Coll. Jean Simon)

Les Eglises contre les déportations raciales

De nombreux Français s'émeuvent du sort réservé aux Juifs, notamment des hommes d'Eglise. En août 1942, Mgr Saliège, archevêque de Toulouse, dénonce solennellement les rafles dans une lettre pastorale : « Que des enfants, que des femmes, que des pères et des mères soient traités comme un vil troupeau, que des membres d'une même famille soient séparés et embarqués pour une destination inconnue, il était réservé à notre temps de voir ce triste spectacle. Pourquoi le droit d'asile dans nos églises n'existe-t-il plus ? Pourquoi sommes-nous des vaincus ! Seigneur, ayez pitié de nous ! » « Les Juifs sont des hommes, les juives sont des femmes. Tout n'est pas permis contre eux », rappelle-t-il, et, défiant les idéologues nazis : « Ils font partie du genre humain ; ils sont nos frères comme tant d'autres. Un chrétien ne doit pas l'oublier. »

Quelques jours plus tard, le 9 septembre 1942, le pasteur Bœgner, président de la Fédération protestante de France, reçu par Laval, proteste lui aussi, en vain, contre les rafles. « Que pouvais-je obtenir d'un homme à qui les Allemands avaient fait croire – ou qui faisait semblant de croire – que les Juifs emmenés de France allaient en Pologne du Sud pour y cultiver les terres de l'Etat juif ? Je lui parlais de massacre, il répondait jardinage », constate-t-il, découragé.

JULES GÉRAUD SALIÈGE
ARCHEVÊQUE DE TOULOUSE ET DE NARBONNE
PRIMAT DE LA GAULE NARBONNAISE.

Mgr Saliège, portrait antérieur à son élévation au cardinalat (1946) et donc à peu près contemporaine de sa célèbre lettre sur la déportation des Juifs.
(Photo H. Manuel, Archives de l'Archevêché de Toulouse)

Sur plus de 300 000 Juifs présents en France en juin 1940, environ 5 000 sont morts sur place, assassinés par la *Gestapo* et la Milice ou décédés dans les camps d'internement ; 76 000 (dont 23 000 de nationalité française) ont été déportés, dont la quasi-totalité n'est pas revenue des « camps de la mort ». C'est à Auschwitz qu'ont fini, selon Serge Klarsfeld, 67 des 72 convois partis de France. La majorité de ces déportés passe par le camp de transit de Drancy entre le 27 mars 1942 et le 31 juillet 1944 ; le 17 août 1942, s'ébranle le premier convoi de 530 enfants déportés sans leurs parents. Leurs biens sont pillés (le maréchal Goering notamment s'est fait une spécialité du vol d'objets d'art pour sa collection personnelle).

Si le génocide des Juifs a été perpétré par les Allemands (15 000 Tziganes raflés en France ont eux aussi été exterminés), la complicité de Vichy ne fait pas de doute. L'antisémitisme d'Etat se manifeste dès l'été de 1940 par des mesures de retrait de la nationalité française à des naturalisés de fraîche date (à l'exemple des Allemands et des Austro-Hongrois qui avaient subi le

même traitement pendant la guerre de 1914-1918). Il se précise le 3 octobre 1940 par la « loi portant statut des Juifs », complétée le lendemain par la « loi sur les ressortissants étrangers de race juive » et le 7 octobre par le retrait de la nationalité française aux Juifs d'Algérie. Le 29 mars 1941, est créé le Commissariat général aux questions juives, confié d'abord à Xavier Vallat, remplacé en avril 1942 par Darquier dit de Pellepoix.

Un nouveau statut des Juifs est promulgué le 2 juin 1941 et leur recensement devient obligatoire dans les deux zones. Le 11 décembre 1942, la mention « Juif » est apposée sur les cartes d'alimentation ; toutefois, lorsqu'au printemps de 1942 les Allemands obligent les Juifs de la zone occupée à porter l'étoile jaune, Vichy n'impose pas

Etoile jaune en tissu.
(Centre d'Etudes Edmond-Michelet, Brive-la-Gaillarde)

LE DRAME ET LES INCERTITUDES DE LA SÉPARATION

Interné dans le camp de Beaune-la-Rolande (Loiret) avec des milliers d'autres Juifs étrangers, le Polonais Mordka Rotgold souffre d'être arraché à son épouse et à ses enfants (lettre du 4 novembre 1941) : « Tous les soirs à neuf heures, quel que soit l'endroit où je me trouve, je m'assois, je ferme les yeux, les cache derrière mes mains : je vous vois et je vous entends me dire "bonsoir Papa". Alors je vous réponds en moi-même "bonsoir mes gosses". Je vous embrasse et je vous vois courir de la salle à manger vers la chambre à coucher en sautillant chacun à sa manière. [...] J'ouvre les yeux, j'écarte mes mains et je me retrouve dans cette baraque. Certains chantent, d'autres jouent du violon. Celui-ci joue aux cartes, l'autre aux échecs. Et moi je continue à tresser le fil qui me relie à vous. [...] Ce fil est plus solide qu'une chaîne d'acier et ils ne pourront pas le casser jusqu'à ce que notre jour arrive. Et nous, nous serons les plus forts. »

Le 28 juin 1942, Mordka Rotgold fait partie du convoi n° 5 qui s'ébranle à destination d'Auschwitz, où il meurt le 30 juillet. (Rotgold [Serge], *Chère Edzia, chers enfants...*, Orléans, 2002).

Extrait de la lettre de M. Rotgold.

cette mesure en zone « libre ». Les autorités françaises internent en revanche des Juifs étrangers dans les camps de Compiègne, Drancy, Pithiviers et Beaune-la-Rolande dès le printemps et l'été de 1941. Les 16 et 17 juillet 1942, a lieu la rafle du « Vel'd'hiv » (Vélodrome d'hiver), car c'est là que sont enfermées les malheureuses victimes (13 000 personnes en tout). En août, la police française arrête des milliers de Juifs étrangers en zone libre, qu'elle livre ensuite aux Allemands. Si le gouvernement de Vichy collabore activement aux persécutions raciales, en revanche beaucoup d'institutions religieuses et de particuliers cachent ces proscrits et leur sauvent ainsi la vie. De son côté, l'armée italienne s'oppose avec beaucoup de fermeté aux arrestations dans sa zone d'occupation. Enfin, Varian Fry, envoyé par l'*Emergency Rescue Committee* américain, réussit, entre août 1940 et août 1941, à faire évader de France environ 2 000 personnalités menacées, dont Hannah Arendt, Marc Chagall et Max Ernst.

L'un des camps de concentration pour Juifs étrangers (Polonais, Tchécoslovaques, Autrichiens surtout) ouverts dans la région d'Orléans à la suite de la promulgation du décret du 4 octobre 1940 (*La Semaine*, 19 avril 1941).
(Coll. Ch. Le Corre)

Libération

G. P. R. F.
Secrétariat Général a l'Information

LES DOULOUREUX CHEMINS DE LA LIBÉRATION

L'ANGLETERRE, BASE ARRIÈRE DE LA PRÉPARATION DU DÉBARQUEMENT

Au-delà du 22 juin 1940, la Grande-Bretagne est la dernière puissance à résister à Hitler, sous la direction de son énergique Premier ministre Winston Churchill. Après des mois de bataille aérienne, menée notamment depuis les bases de la France occupée, la *Luftwaffe* doit admettre le 12 octobre 1940 qu'il lui sera impossible de réduire son ennemi à merci. Enclave de liberté à l'extrémité de l'Europe asservie ou neutre, l'Angleterre jouera un rôle capital dans la suite des événements. Pour l'asphyxier les Allemands doivent impérativement empêcher les convois de navires venus du Commonwealth ou des Amériques de traverser l'océan. La bataille de l'Atlantique voit le renforcement de l'action des sous-marins de la *Kriegsmarine*, qui opèrent à partir de Lorient, Saint-Nazaire, Rochefort et La Pallice, villes violemment bombardées par l'aviation britannique. Au cours de l'hiver de 1940-1941, les Allemands attaquent également les convois alliés avec des croiseurs auxiliaires et des vaisseaux

Manchette d'un journal britannique en français largué par aéroplane.
(Coll. Ch. Le Corre)

Page de gauche :
La France ressuscitée soulève la pierre du tombeau.
(Centre d'Etudes Edmond-Michelet, Brive-la-Gaillarde)

Quelque part sur la côte atlantique française, une base de sous-marins allemands (*Signal*, mars 1942).
(Coll. Ch. Le Corre)

Déniant toute légitimité à la France libre, Vichy souligne indirectement le rôle capital de la Grande-Bretagne dans la résistance à l'hitlérisme.
(Centre d'Etudes Edmond-Michelet, Brive-la-Gaillarde)

lourds basés à Brest et à Lorient, mais devant l'importance de leurs pertes ils abandonnent cette tactique quelques mois plus tard. En février 1942, ils réussissent pourtant l'exploit de transférer de Brest à Wilhelmshaven les cuirassés *Scharnhorst* et *Gneisenau*, au nez et à la barbe des Anglais.

Affiche vichyste stigmatisant les bombardements britanniques sur les villes françaises, dont Rouen. On peut noter l'utilisation systématique des personnages emblématiques de la France au profit de Vichy : saint Martin, Jeanne d'Arc, Clemenceau, Napoléon...
(Centre d'Etudes Edmond Michelet, Brive-la-Gaillarde)

Sur la place de l'hôtel-Dieu du Creusot, obsèques des victimes du bombardement de la ville par la *Royal Air Force* en octobre 1942. Au même moment, les sirènes mugissent de nouveau : les gens endeuillés s'allongent sur le sol ou fuient vers les bois.
(*La Semaine*, 1er novembre 1942).
(Coll. Ch. Le Corre)

Avant de redevenir un champ de bataille terrestre, la France – que ses habitants ont cru un instant à l'écart du conflit – est régulièrement la cible de bombardements aériens, plus ou moins efficaces, mais presque toujours meurtriers. Le 18 février 1944, l'aviation britannique bombarde la prison d'Amiens (opération *Jericho*). Si quelques résistants condamnés à mort parviennent à s'échapper, 95 autres prisonniers sont tués dans l'attaque. Dans la nuit du 15 au 16 juillet 1943, la *Royal Air Force* cause la mort d'une cinquantaine de civils à Besançon. Le 24 novembre 1943, ce sont près de 500 civils qui sont tués à Toulon, 432 à Nice et Saint-Laurent-du-Var le 26 mai 1944 ; des hécatombes aussi à Avignon et Marseille (plus de 2 500 morts le 27 mai 1944), Orléans, Nantes, Strasbourg et dans tant d'autres villes. Les objectifs militaires sont en général clairs, comme les usines Renault de Billancourt au printemps de 1943, mais beaucoup de bombes se perdent dans les quartiers résidentiels.

Les Britanniques montent aussi quelques audacieux coups de main. Le 27 février 1942 à Bruneval, en Seine-Maritime, un commando s'empare d'éléments d'un radar allemand très perfectionné et en détruit un autre (opération *Biting*). Le 19 août 1942, les

Dieppe, 19 août 1942 : le sacrifice des Canadiens. Sur les galets de la plage, les chars ont été détruits par le feu de l'artillerie allemande.

(Coll. Ch. Le Corre)

Soldats britanniques et canadiens tués au pied des retranchements allemands lors de la tentative avortée de débarquement à Dieppe (*La Semaine*, 30 août 1942).

(Coll. Ch. Le Corre)

Anglo-Canadiens montent une opération d'une tout autre envergure sur Dieppe (*Jubilee*) ; elle tourne au fiasco : sur près de 6 100 hommes engagés, plus de 3 000 sont tués ou blessés. Les Allemands rejettent les assaillants à la mer et acquièrent la conviction fallacieuse que le débarquement allié se produira dans un port.

Pour parer à la menace les occupants de la France mettent en place un formidable système de défense, le « Mur de l'Atlantique », vanté par la propagande, dont la construction a été confiée à l'organisation de l'ingénieur Fritz Todt. Précédé par des mines immergées, le « Mur » comprend des obstacles mobiles en métal, des barbelés, des murs de béton contre les chars, de très nombreux blockhaus, des batteries de différents calibres. Mais au printemps de 1944, il n'est véritablement achevé que dans le Pas-de-Calais, zone qui, à travers les plaines de Belgique, conduit directement au cœur de l'Allemagne.

Au large, la bataille de l'Atlantique, comme en 1917-1918, ne peut s'achever que par une maîtrise de plus en plus complète de l'océan par les Alliés, qui commence à être

Sur les côtes de la Manche, les Allemands attendent le débarquement des Alliés. « Nous sommes prêts à les recevoir ! » claironne le magazine de propagande *Signal* (mars 1942).

(Coll. Ch. Le Corre)

SAMEDI
Ste Libération

1

AVRIL
1944

FRANÇAIS,
soyez prêts !... Pour la DÉLIVRANCE !
Foi de CHURCHILL...

Tract de propagande allemand.
(Coll. Ch. Le Corre)

effective à partir du printemps de 1943. C'est que l'Allemagne et ses satellites ne sont pas en mesure de rivaliser avec les phénoménales capacités de production des Etats-Unis. Les escortes des convois deviennent de plus en plus impressionnantes et la chasse aux *U-Boote*, surtout par voie aérienne, de plus en plus efficace, ce qui ne met pas complètement à l'abri de leur harcèlement. Au printemps de 1944, les Alliés ont pu acheminer une extraordinaire quantité de matériel et des centaines de milliers d'hommes en Grande-Bretagne. Tout est prêt pour la plus grande opération aéronavale de tous les temps.

LE JOUR « J »

Le choix de Roosevelt et de Churchill s'est porté sur la Normandie dès août 1943 à la conférence de Québec. Certes moins facile à desservir pour les Alliés, mais aussi à défendre pour les Allemands (du fait de la rareté des aérodromes et de la présence du bocage), la presqu'île du Cotentin a eu la préférence sur le Pas-de-Calais (où Hitler, jusqu'au bout, a cru que se produirait le débarquement, grâce à la formidable opération de désinformation baptisée *Fortitude*). Un état-major combiné a été mis sur pied en Angleterre et – malgré d'inévitables tiraillements – le général Eisenhower assume le commandement de l'ensemble des forces alliées, avec à ses côtés le Britannique Montgomery.

Heure H à *Omaha Beach*,
secteur Easy Green,
116e RI de la 29e DI américaine.
(Document RHA, extrait de *6 juin 1944,
débarquement en Normandie*,
par le général Compagnon,
Editions Ouest-France, 2000)

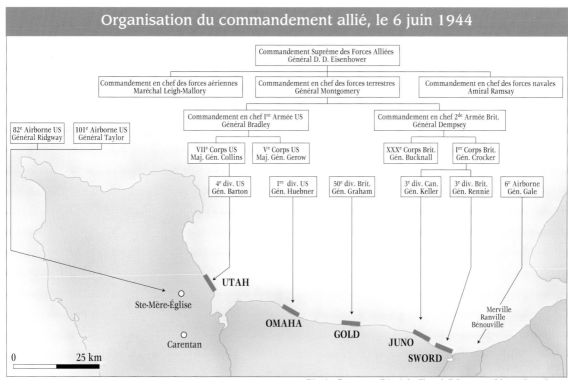

Organisation du commandement allié, le 6 juin 1944

Commandement Suprême des Forces Alliées
Général D. D. Eisenhower

Commandement en chef des forces aériennes
Maréchal Leigh-Mallory

Commandement en chef des forces terrestres
Général Montgomery

Commandement en chef des forces navales
Amiral Ramsay

82e Airborne US
Général Ridgway

101e Airborne US
Général Taylor

Commandement en chef Ire Armée US
Général Bradley

Commandement en chef 2de Armée Brit.
Général Dempsey

VIIe Corps US
Maj. Gén. Collins

Ve Corps US
Maj. Gén. Gerow

XXXe Corps Brit.
Gén. Bucknall

Ier Corps Brit.
Gén. Crocker

4e div. US
Gén. Barton

Ire div. US
Gén. Huebner

50e div. Brit.
Gén. Graham

3e div. Can.
Gén. Keller

3e div. Brit.
Gén. Rennie

6e Airborne
Gén. Gale

UTAH

Ste-Mère-Église

OMAHA

GOLD

JUNO

SWORD

Merville
Ranville
Bénouville

Carentan

0   25 km

D'après : Desquesnes (Rémy), *Les Plages du Débarquement*, Editions Ouest-France.

Dans le choix des moyens les leçons de Dieppe ont porté. Les troupes d'assaut seront beaucoup plus fortement appuyées. Comme il sera impossible de s'emparer d'un port sans le détruire, les troupes débarquées devront se maintenir un assez long moment en autonomie jusqu'à ce qu'il soit remis en état. Enfin, un très gros effort a été fourni au niveau du renseignement : les reconnaissances aériennes et les informations transmises par la Résistance ont permis de dresser une topographie très exacte des défenses ennemies. Pour affaiblir les capacités de réaction des Allemands, des bombardements massifs ont été effectués en avril et mai 1944 sur les aéroports, les infrastructures routières et ferroviaires, les ouvrages d'art (la plupart des ponts sur la Loire et la Seine sont détruits) et les usines.

La disproportion des forces joue massivement en faveur des Alliés, surtout dans le domaine naval et aérien. Qui plus est, le commandement allemand est contrarié par son caractère bicéphale : car si Rundstedt possède théoriquement la haute main sur toutes les troupes du front Ouest, dans les faits Rommel lui est supérieur en tant qu'inspecteur de la défense des côtes. La plupart des décisions sont prises à des milliers de kilomètres du théâtre d'opérations, dans le bunker de Rastenburg, en Prusse orientale. Hitler ordonne une défense côtière stricte (selon l'avis de Rommel), sans abandon de terrain, ce qui équivaut à un éparpillement des forces, tandis que les généraux sur place – Rundstedt en tête – voudraient privilégier la constitution d'une grande réserve stratégique capable d'intervenir en force sur n'importe quel point menacé.

Mitraillette Sten.
(Centre d'Etudes Edmond-Michelet,
Brive-la-Gaillarde)

95

Philippe Kieffer : son commando
débarque à Ouistreham à l'aube du 6 juin.

(Extrait de *6 juin 1944, débarquement
en Normandie*, par le général Compagnon,
Editions Ouest-France, 2000)

À Cherbourg, la place du
Maréchal-Pétain est aussitôt
débaptisée et devient place
du Général-de-Gaulle (*Voir*).

(Coll. Ch. Le Corre)

Prévue pour le 4 juin, l'opération *Overlord* (Seigneur suprême) est déplacée en raison d'une tempête au 6, où Eisenhower profite d'une « fenêtre météo » favorable. Tandis que trois divisions aéroportées sont parachutées à l'intérieur des terres pour obliger les Allemands à dégarnir partiellement les côtes, cinq autres participent au débarquement : 90 000 hommes en tout, dont les seuls 177 Français du commando Kieffer, intégrés à la *1ⁱ Special Service Brigade* de l'armée britannique.

A 4 h 30 du matin, Sainte-Mère-Eglise est la première commune française (du continent) libérée, par la 82ᵉ division aéroportée américaine. A 6 h 30, les premiers fantassins et les blindés amphibies débarquent dans le secteur *Utah*, au sud de la presqu'île du Cotentin. A droite (*Omaha*) les Américains, en butte à de grandes difficultés, sont à peu près partout cloués sur les plages. Dans les secteurs britannique et canadien, plus à droite encore, le succès est au rendez-vous pour *Gold*, mais non pas pour *Juno* et *Sword* : Caen, puissamment défendu par les Allemands, s'avère un objectif inaccessible. Cependant, l'effet de surprise a joué à plein pour les Alliés. En l'absence de Rommel, parti avec

insouciance à Ulm, ses subordonnés n'ont pas su réagir. Le GQG de Rastenburg, qui n'a pas perçu l'ampleur de l'opération en Normandie et a cru à une attaque de diversion, leur a été de mauvais conseil, refusant une intervention massive immédiate des chars.

LA BATAILLE DE NORMANDIE

L'erreur initiale des Allemands perdure pendant plusieurs jours encore. Elle les conduit à économiser leurs forces pour faire face au débarquement « principal » qu'ils attendent toujours dans le Pas-de-Calais, et à concentrer leurs efforts sur les Anglo-Canadiens, censés appuyer cette opération à partir de la région de Caen ;

Sur le front de Normandie,
deux des principaux libérateurs
de la France : le Britannique
Bernard L. Montgomery
(1887-1976) et l'Américain
Omar N. Bradley (1893-1981).
Même s'ils parlent la même
langue, la communication
n'est pas toujours facile
entre les deux alliés (*Voir*).

(Coll. Ch. Le Corre)

Maquisards bretons posant
devant l'objectif d'un reporter
de l'armée américaine.
Kersaint (Finistère), été de 1944.
(Photo USIS)

de tenir Caen coûte que coûte. Pendant que la ville s'écroule sous les bombes alliées, les Américains continuent de progresser : Coutances tombe le 28 juillet, Granville et Avranches le 31.

En dépit du service plus qu'aléatoire des ports, matériel et armes ne cessent de débarquer. Moins de deux mois après le jour « J », 1,5 million de combattants alliés ont posé le pied sur la terre de France, dont la 2e division blindée (DB) du général Leclerc (1er août) et des troupes polonaises. Après avoir forcé le « goulot d'Avranches », large d'une trentaine de kilomètres, le général Patton s'empare le 4 août de Rennes, puis arrive en vue de Brest et de Nantes. La tâche d'achever de libérer complètement la Bretagne est alors laissée aux résistants, tandis que les chars américains, en sécurité sur leurs arrières, prennent la direction de la Seine. De son côté la 2e DB délivre Alençon (12 août) et les Canadiens Falaise (16 août) : les Allemands ont perdu près de 500 000 hommes et près de 2 200 chars dans la bataille de Normandie, très meurtrière aussi pour les Alliés. Model, successeur de Kluge,

aussi laissent-ils l'offensive américaine se développer avec une relative liberté de mouvement à gauche. Rommel est toutefois servi par la tempête, qui balaie le port artificiel de Saint-Laurent, ne laissant subsister partiellement que celui d'Arromanches, et gêne considérablement l'aviation alliée. Le 26 juin, les Américains s'emparent tout de même du port détruit de Cherbourg. Refusant toute idée de recul, Hitler remplace Runstedt par Kluge et ordonne à Rommel

Cinq petits drapeaux alliés (URSS, Chine, Royaume-Uni, Belgique, Etats-Unis), en papier et en couleurs, à placer aux fenêtres et balcons des maisons à la Libération.
(Centre d'Etudes Edmond-Michelet, Brive-la-Gaillarde)

ordonne alors le repli sur la Somme. Les libérations d'Orléans (17 août) puis de Chartres (18 août), dans une atmosphère de liesse indescriptible, comme partout, jalonnent désormais la route qui semble conduire irrésistiblement les Alliés vers Paris.

LE RÔLE DE LA RÉSISTANCE DANS LA LIBÉRATION

Les Américains – non sans quelques raisons – considèrent la France comme un pays allié de l'Axe et entendent le traiter en vaincu, soumis au pouvoir de l'AMGOT (*Allied Military Government of Occupied Territories*). Pour imposer la voix de la vraie France, de Gaulle doit d'abord faire d'elle un cobelligérant à part entière sur son propre sol. Le 1er février 1944, ont été créées les FFI (Forces françaises de l'Intérieur), qui regroupent tous les combattants de la Résistance. Le Général veut garder le contrôle de ce nouvel ensemble et coor-

donner ses actions avec celles de la France combattante et des Alliés (qui, surtout les Américains, se méfient beaucoup des résistants) : aussi, en avril 1944, nomme-t-il Kœnig à la tête de toutes les forces françaises de Grande-Bretagne et des FFI. Mais la fusion des groupes armés de l'intérieur sera lente et imparfaite, les FTP communistes agissant souvent seuls.

Par la force des choses le rôle militaire de la Résistance se cantonne à

Entrevue entre Roosevelt et de Gaulle au cours de la tournée du général aux Etats-Unis et au Canada pendant l'été de 1944. La bataille pour la reconnaissance du GPRF par les Alliés est longue et difficile (*Voir*, juillet 1944). (Coll. Ch. Le Corre)

MENU #2 FIRST HALF OF 5 RATIONS
FOR 5 COMPLETE RATIONS USE THIS BOX AND ONE MARKED "SECOND HALF OF 5 RATIONS"

UN CHOC CULTUREL

Les Américains découvrent une France – surtout rurale – encore très peu équipée : une seule pièce chauffée en hiver, sans salle de bains, « cabinets » au fond du jardin, tas de fumier devant la porte. Le contraste est saisissant avec le confort moderne qui, outre-Atlantique, a depuis longtemps gagné les classes moyennes voire populaires. De là naît la légende, toujours vivace en pays anglo-saxons, du « Français puant et sale ». De leur côté beaucoup de Français sont surpris par la désinvolture, l'ignorance crasse des réalités européennes et parfois l'affairisme et les mauvaises manières des libérateurs. Ils sont choqués par la ségrégation raciale au sein de l'armée américaine.

Boîte de ravitaillement américaine.
(Centre d'Etudes Edmond-Michelet, Brive-la-Gaillarde)

Les libérateurs surprennent aussi par leurs réactions parfois incompréhensibles : comme ces GI qui jettent pour désinfection un comprimé effervescent dans les verres qu'on leur propose, y compris lorsqu'il s'agit de bouteilles de prix ouvertes en leur honneur. Pourtant, bien davantage qu'en 1918, l'*American way of life* s'insinue en France : désormais les jeunes ne pourront plus se passer de chewing-gum, de Coca-Cola et autres sodas, de jazz (en attendant le rock n'roll), de films hollywoodiens, mais aussi de nylon et de pénicilline. L'euphorie et la frénésie de la Libération comportent un volet sentimental. Si de jeunes Françaises convolent en justes noces avec des soldats américains, beaucoup d'autres sont séduites et abandonnées.

Immensément reconnaissants à leurs libérateurs des sacrifices consentis, les Français se sentent en même temps agressés dans leur mode de vie et humiliés de n'avoir pu se délivrer par leurs propres forces. Une relation ambiguë d'admiration (voire d'idéalisation idolâtre pour un petit nombre) et d'éloignement, nourrie d'envie, de frustration et de motifs politiques (sous l'influence du PCF) naît à cette époque vis-à-vis des Etats-Unis, toujours d'actualité.

Mariage entre une jeune Normande et un GI. Le 23 mai 1947, Mireille Primevealle, de Valogne, épouse Thomas Minar, rescapé des terribles combats d'Omaha Beach (*Images du monde*, 10 juin 1947). (Coll. Ch. Le Corre)

Oradour : le champ de foire.
(Photo Centre de la Mémoire
d'Oradour-sur-Glane)

Même s'ils sont finalement
obligés de reconnaître son rôle
non négligeable dans la
Libération, les Américains
se méfient de la Résistance
française (affiche américaine).
(Centre d'Etudes Edmond-Michelet,
Brive-la-Gaillarde)

des missions de renseignements, de sabotage et de harcèlement de l'ennemi sur ses
arrières car une insurrection générale n'est
pas envisageable. Or, dans la nuit du 5 au
6 juin 1944, sans concertation préalable
avec les Français de Londres, la BBC
donne prématurément l'ordre de passer à
l'action à cette Résistance insuffisamment
préparée, mal équipée, dont l'engagement
parfois héroïque n'apportera dans un premier temps qu'une aide minime aux
Alliés. Aussi, dès le 10 juin, Kœnig
ordonne-t-il de suspendre les opérations là
où c'est possible. Ce demi-échec a pourtant pour conséquence de faire com-
prendre à beaucoup de Français que leur
destin est en partie entre leurs mains.
Désormais aux abois, l'occupant terrorise
alors la population, multipliant les atrocités : une centaine de civils pendus aux balcons de Tulle le 9 juin ; 642 massacrés et
brûlés à Oradour-sur-Glane le 10 juin ;
126 massacrés encore à Maillé le 25 août.

Après les premiers succès alliés dans
l'Ouest, le Comité parisien de libération,
inféodé aux communistes, lance à sa seule
initiative l'insurrection générale de la capitale, appel finalement relayé par les délégués du Gouvernement provisoire (GPRF),
Parodi et Chaban-Delmas. Se font face le
communiste Rol-Tanguy, à la tête des FFI
parisiens, et le commandant du *Groß Paris*,
le général von Choltitz, qui a reçu l'ordre
de détruire la ville, mais qui refusera
d'assumer cette responsabilité devant
l'Histoire. Craignant que l'insurrection ne
soit écrasée, de Gaulle et Kœnig obtiennent

UN HOMMAGE AMERICAIN AUX F.F.I.
Le général Patch, commandant la 7ème américaine,
décore un des chefs des F.F.I., Marc Rainaut, de
l'Etoile d'Argent, une des plus hautes décorations
des Etats-Unis.

Dans la capitale libérée, les Parisiens découvrent les visages des trois grands chefs militaires de la France combattante (ne manque que de Lattre de Tassigny) : de Gaulle, Leclerc et Kœnig.

Scènes de liesse dans Paris libéré, le 25 août 1944 (affiche américaine).
(Centre d'Etudes Edmond-Michelet, Brive-la-Gaillarde)

d'Eisenhower l'autorisation pour la 2ᵉ DB de se porter rapidement sur la capitale. Au soir du 24 août, un détachement commandé par le capitaine Dronne parvient jusqu'à l'Hôtel de Ville. Le lendemain, le gros de la division Leclerc entre dans Paris et Choltitz signe la capitulation de la place. Le 26 août, le général de Gaulle est accueilli en triomphe sur les Champs-Elysées et à Notre-Dame, pendant que des tireurs isolés sèment encore la panique. La libération de Paris par la Résistance et la France combattante provoque un énorme effet psychologique en France et dans le monde entier : l'affront de 1940 est lavé.

LE DÉBARQUEMENT EN PROVENCE

Alors que Churchill veut réserver tous les moyens disponibles en Méditerranée à l'Italie, afin de forcer la porte du *Reich* par Ljubljana et damer le pion aux Soviétiques en Europe centrale, il apparaît indispensable aux Américains de disposer du port de Marseille pour acheminer quarante divisions supplémentaires et mettre l'Allemagne à genoux. Le fer de lance du débarquement en Provence sera la 1ʳᵉ armée française du général de Lattre de Tassigny, que de Gaulle a décidé de retirer d'Italie puisque désormais l'on se bat en France. Placée sous le contrôle du Gouvernement provisoire, elle constitue avec ses 260 000 hommes une véritable force militaire, motorisée, avec deux divisions blindées. Des liaisons sont prévues avec les FFI.

Le débarquement en Provence en août 1944.
(Photo CIRPA-ECPA, Mémorial du débarquement de Provence)

LE DERNIER AVATAR
DE VICHY

Sur ordre de Hitler, Pétain et Laval sont enlevés à Vichy par les SS le 20 août 1944 et emmenés à Belfort puis à Sigmaringen, en Allemagne, où leurs « protecteurs » tentent de créer, sans leur accord, une sorte de gouvernement en exil. Une cohorte de collaborateurs – 40 000 ? – cherche un refuge dans le *Reich*, comme Jacques Doriot, animateur d'un « conseil français de libération », tué le 22 février 1945 par un mystérieux avion près de Constance. D'autres, tel Darquier de Pellepoix, réussissent à trouver asile en Espagne, en Italie ou en Amérique du Sud.

Le 14 juin 1944, de Gaulle prononce un discours à Bayeux, première sous-préfecture française (du continent) libérée. Autour de lui, Maurice Schumann, l'une des voix de Radio-Londres, et le général Kœnig, commandant en chef des FFI.

(extrait de *6 juin 1644, débarquement en Normandie*, par le général Compagnon, Editions Ouest-France, 2000).

Précédée d'un largage de parachutistes au cours de la nuit précédente, l'opération a lieu le 15 août 1944 entre le cap Nègre et Saint-Aygulf. Aussitôt débarqué (16 août), et sans tenir compte du plan initial, de Lattre lance ses troupes sur Toulon et Marseille (20-27 août). Pendant que les Allemands font retraite par la vallée du Rhône, la 1re armée libère Lyon (3-4 septembre) et les Américains entrent dans Grenoble (22 août), avant de pousser vers les Alpes où les combats dureront encore plusieurs mois. Les Allemands multiplient là encore les atrocités, entre autres le 20 août à Saint-Genis-Laval, où ils brûlent vives 120 personnes. Dans le Midi, la Résistance livre une véritable guérilla à l'occupant, avec des succès importants, que les communistes essaient souvent de tirer à eux, comme à Toulouse.

LE RÉTABLISSEMENT
DE LA RÉPUBLIQUE

A peine sur le sol de France (dès le 14 juin, à Courseulles), de Gaulle installe solennellement un commissaire de la République à Bayeux ; il veut prendre de vitesse les Alliés, qui laissent souvent en place les hommes de Vichy. Le 12 août, Laval essaie de convaincre Edouard Herriot, l'ancien président du Conseil du Cartel des gauches (1924-1926), de prendre la tête d'un gouvernement de transition qui se mettrait au service des Américains et marginaliserait « l'homme de Londres ». Mais cette ultime manœuvre échoue. Partout le régime de Vichy s'effondre et ses fonctionnaires cèdent leurs pouvoirs à la Résistance. Placés devant le fait accompli, les Alliés admettent le 25 août 1944 la souveraineté de la France sur son propre territoire puis, le 23 octobre, ils reconnaissent enfin l'autorité du Gouvernement provisoire en matière administrative.

Le 10 septembre 1944, un décret établit la composition de ce gouvernement, toujours présidé par de Gaulle, qui y a fait entrer des membres du Conseil national de la Résistance. Sur le terrain, il entend éviter tout vide institutionnel, qui ne pourrait profiter qu'aux communistes. Ils contrôlent en effet des régions entières dans le Sud-Ouest, dominent souvent les comités départementaux de libération et « la République rouge du Midi » joue un rôle d'épouvantail. A Toulouse, où il se rend le 16 septembre, de Gaulle rétablit une situation normale. De manière générale, il multiplie les déplacements à travers la France pour affirmer son autorité, partout plébiscité par la foule (à Besançon par exemple le 23 septembre, à Nancy le 25 ; à Mulhouse, Colmar et Strasbourg les 10 et 11 février 1945).

De Gaulle vient saluer l'Alsace libérée. Ici à Rouffach (Haut-Rhin), le 10 février 1945 (*La Nouvelle Armée française*).

(Coll. Ch. Le Corre)

Les mesures militaires sont tout aussi urgentes. A partir du 26 juin 1944, les FFI gaullistes sont progressivement versées dans l'armée régulière, puis les FTP communistes à leur tour. Les « milices patriotiques » (créées en 1943 par le PCF sous le nom de « milices ouvrières ») sont dissoutes le 28 octobre 1944. Malgré l'opposition initiale des communistes à toutes ces mesures, un accord est finalement obtenu en janvier 1945 avec le chef du parti Maurice Thorez, revenu de Moscou à la fin de novembre au moment même où de Gaulle rendait visite à Staline en URSS (son amnistie a pesé lourd dans la balance). A cette date, le Gouvernement provisoire contrôle l'ensemble du territoire recouvré.

L'ÉPURATION

Aussitôt une ville, un village libérés, après la mise à sac des locaux et des domiciles des collaborateurs – ou supposés tels –, l'épuration commence, incontrôlée, menée par des « tribunaux populaires » autoproclamés. C'est souvent l'heure des règlements de comptes, où il arrive que la « justice » permette d'assouvir des vengeances politiques ou même personnelles. Dix à quinze mille personnes auraient été ainsi sommairement exécutées, surtout dans

le Midi. De nombreuses autres sont arrêtées et détenues sans jugement. Des groupes d'hommes en armes, dépourvus de tout mandat, font la loi dans certaines communes. Les femmes accusées d'avoir eu des relations avec les Allemands sont tondues et promenées dans les rues sous les crachats et les quolibets. Les enfants issus d'un couple mixte, même nés de viols, seront l'objet d'un ostracisme qui ne dira jamais son nom. Les prisonniers allemands – 660 000 environ – sont parfois traités sans ménagement, à tel point que l'archevêque de Besançon, Mgr Dubourg, demande davantage d'humanité à leur égard à Noël 1944.

À Chatou, les « poules à Boches » sont tondues et exhibées devant la foule qui les insulte et les couvre de crachats (été de 1944).
(Coll. Ch. Le Corre)

Un brassard avec croix de Lorraine FFI, de Meurthe-et-Moselle.
(Centre d'Études Edmond-Michelet, Brive-la-Gaillarde)

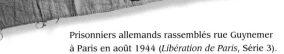

Scène de l'épuration et de la « désannexion » à Metz (fin de novembre 1944) : les collaborateurs sont conduits en prison sans ménagements par des combattants FFI (Cadran, n° 6).
(Coll. Ch. Le Corre)

Prisonniers allemands rassemblés rue Guynemer à Paris en août 1944 (Libération de Paris, Série 3).
(Coll. Ch. Le Corre)

Le 23 juillet 1945, à 13 h, Pétain vient de prendre sa place devant la Haute Cour de justice sise en la première chambre de la cour d'appel de Paris (*Le Monde illustré*, 28 juillet 1945).
(Coll. Ch. Le Corre)

Mort à la Villa Luco, sur l'île d'Yeu (Vendée) le 23 juillet 1951, Pétain est conduit à sa dernière demeure par un carré de fidèles.
(Coll. Ch. Le Corre)

À Chartres, après la libération de la ville par les FFI, la foule crie sa haine des Allemands en assiégeant la préfecture où ils sont détenus sous garde américaine. Paradoxalement sous l'effet de l'angle de la prise de vue, ce sont les habitants de la ville qui semblent placés derrière les barreaux, empêchés de mettre à exécution une sentence expéditive inspirée par la passion du moment.
(Centre d'Études Edmond-Michelet, Brive-la-Gaillarde)

L'« épuration légale » (plus de 160 000 dossiers instruits) prend le relais à partir de septembre 1944, menée par les cours martiales, les cours de justice et les chambres civiques. La peine de mort est prononcée dans 4 % des cas (et exécutée dans 0,5 % seulement), les travaux forcés dans 8 %, la prison et la réclusion dans 16 % et la dégradation nationale dans 25 % ; près de la moitié des prévenus ne subissent aucune condamnation. De Gaulle songe désormais à la réconciliation nationale et il donne des consignes de clémence : il refuse pourtant la grâce de Brasillach, fusillé le 6 février 1945 parce que les mots aussi peuvent tuer. Le 15 août 1945, le maréchal Pétain est condamné à mort par la Haute Cour (créée en novembre 1944), puis c'est le tour de Laval le 9 octobre. Le premier voit finalement sa peine commuée en détention à perpétuité et il mourra à 95 ans à l'île d'Yeu en 1951. Le second est traîné au poteau d'exécution le 15 octobre 1945. Cinq jours plus tôt, Darnand a lui aussi été fusillé, au fort de Montrouge. Bassompierre est le dernier milicien exécuté, en 1948. En 1953, une loi d'amnistie est votée.

TRIOMPHANT
LES FRANÇAIS DE CHARTRES, LIBÉRÉE PAR LES F.F.I. SE PRESSENT CONTRE LES GRILLES DE LA PRÉFECTURE POUR CRIER LEUR MÉPRIS AUX BOCHES PRISONNIERS.

Dans la zone d'occupation française en Allemagne, plus de deux mille affaires sont jugées, avec une centaine de condamnations à mort de nazis. A partir du 20 octobre 1945, des magistrats français siègent au tribunal de Nuremberg, chargé de punir les crimes du nazisme (un autre participe à Tokyo au procès des criminels de guerre japonais). En France même ont lieu les procès de certaines figures de l'Occupation comme, en septembre 1954, celui de Karl Oberg, chef suprême de la police et de la SS en France, condamné à mort. Dans le contexte de la construction européenne et de la réconciliation franco-allemande, il verra cependant sa peine commuée en détention à perpétuité par le président René Coty en 1958, et il sera libéré par le général de Gaulle en 1962, à la veille de la signature du traité de l'Elysée avec l'Allemagne.

Si des inconnus entament une carrière politique brillante bâtie sur l'engagement dans la Résistance, comme Jacques Chaban-Delmas (maire de Bordeaux de 1947 à 1995), toute une population est désormais – pour un temps ou définitivement – retranchée de la vie publique. Ce sont par exemple les patrons de la presse collaborationniste, évincés dès la Libération. Le monde des journaux est complètement restructuré. Des titres disparaissent pour n'avoir pas cessé de paraître pendant les années noires (*Le Temps* à Paris, *Le Midi socialiste* à Toulouse). D'autres les remplacent, aussi bien dans la capitale (*Le Monde, Libération, Le Parisien libéré*) qu'en province (*L'Alsace* à Mulhouse, *Le Midi libre* à Montpellier, *Ouest-France* à Rennes). Rares sont ceux qui survivent à la tourmente (*Le Figaro* est de ceux-là parce que suspendu le 10 novembre 1942).

LE SERMENT DE KOUFRA EST TENU

Alors que les Alliés progressent vers le Nord et la Belgique, de violents combats ont lieu autour de Chalon-sur-Saône et d'Autun entre le 3 et le 13 septembre 1944. Le 12 septembre, les troupes françaises venues de Normandie (2ᵉ DB) et celles venues de Provence (1ʳᵉ armée) effectuent leur jonction à Montbard. La guerre n'est cependant pas encore terminée, notamment dans l'Est. Si l'armée américaine prend Nancy le 15 septembre, elle piétine face à la Lorraine annexée : les derniers forts de Metz résistent jusqu'au 13 décembre et les combats se prolongent jusqu'en mars 1945 autour de Bitche. De Lattre entre en Alsace et atteint le Rhin le 19 novembre, mais au nord de Mulhouse les Allemands se défendent farouchement

Manchettes de quelques-uns des innombrables journaux nés au moment de la Libération. Ici, deux tendances politiques, en principe antagonistes, mais unies dans la Résistance et dans le tripartisme : les communistes et les démocrates-chrétiens.
(Coll. Ch. Le Corre)

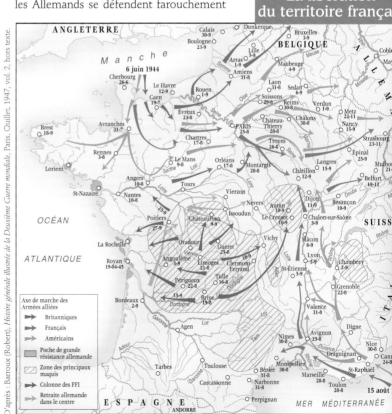

La libération du territoire frança[is]

D'après : Barroux (Robert), *Histoire générale illustrée de la Deuxième Guerre mondiale*, Paris, Quillet, 1947, vol. 2, hors texte.

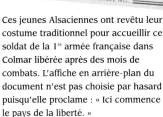

Ces jeunes Alsaciennes ont revêtu leur costume traditionnel pour accueillir ce soldat de la 1ʳᵉ armée française dans Colmar libérée après des mois de combats. L'affiche en arrière-plan du document n'est pas choisie par hasard puisqu'elle proclame : « Ici commence le pays de la liberté. »

(Centre d'Etudes Edmond-Michelet, Brive-la-Gaillarde)

Ces prisonniers français de 1940 libérés par l'avance des troupes alliées en Allemagne rentrent chez eux au bout de cinq ans de captivité (*Cadran*, n° 13).

(Coll. Ch. Le Corre)

dans la « poche de Colmar », dont la réduction ne s'achève que le 9 février 1945. De son côté Leclerc a, en unu offensive éclair à travers les Vosges, lancé ses troupes sur les petites routes de montagne et débouché dans la plaine d'Alsace. Le 23 novembre 1944, la 2ᵉ DB entre dans Strasbourg et hisse le drapeau tricolore sur la cathédrale. De Gaulle, contre l'avis des Américains, imposera la défense de la ville lorsque Himmler lancera l'opération *Nordwind* le 1ᵉʳ janvier 1945.

Les troupes françaises participent aussi à l'offensive finale sur l'Allemagne. Les 4 et 5 mai, les combattants de la 2ᵉ DB s'emparent du « nid d'aigle » de Berchtesgaden. De son côté l'armée de Lattre opère en Forêt-Noire, poussant jusqu'au Voralberg (en Autriche occidentale) ; elle prend Constance le 26 avril ;

Monsabert investit Stuttgart (21 avril), en pleine zone d'opérations américaine, ce qui crée un incident. Le 7 mai enfin, l'Allemagne capitule sans condition à Reims, GQG d'Eisenhower (où le général Sevez signe au nom de la France), avec effet au lendemain. Le 9, de Lattre paraphe un second acte de capitulation allemand à Berlin au QG de l'Armée rouge. Les troupes allemandes de la poche de Dunkerque, qui résistaient toujours finissent par se rendre enfin, puis de celles de La Pallice, de La Rochelle et de Rochefort et enfin de Lorient et de Saint-Nazaire. Royan (où un bombardement anglais a tué 442 civils dans la nuit du 4 au 5 janvier) et l'île d'Oléron ont été réduits entre-temps par les FFI. À part les prisonniers, il n'y a plus d'Allemands en France.

LES « POCHES » DE L'ATLANTIQUE

Les libérations de Paris puis de Strasbourg, bien qu'éminemment symboliques, ne marquent pas, loin s'en faut, la fin des combats en France.

En dehors des opérations qui continuent jusqu'à la fin de l'hiver de 1944-1945 en Alsace et dans le nord-est de la Moselle, et jusqu'au printemps dans les Alpes, 100 000 Allemands résistent farouchement dans leurs grandes places fortes de l'Atlantique, les fameuses « poches », où ils ont accumulé d'énormes moyens et détiennent environ 200 000 civils et prisonniers. La tâche de les réduire est confiée dès le 14 octobre 1944 au général de Larminat, mais les opérations, prévues pour janvier 1945, sont ajournées à la suite des batailles des Ardennes et de Colmar. Très agressifs,

certains Allemands se permettent alors des sorties comme ceux de La Rochelle, qui s'emparent de plusieurs communes supplémentaires le 15 janvier, avant d'être repoussés par les FFI. Le mois d'avril voit la reprise des offensives françaises : du 15 au 18 les FFI et l'armée d'Afrique mettent fin à la résistance de Royan (complètement détruite) puis, le 20, ils réduisent la poche de la pointe du Grave, rendant au trafic l'estuaire de la Gironde et le port de Bordeaux. Du 30 au 1ᵉʳ mai, c'est l'île d'Oléron qui est libérée. Les Alliés n'entrent – sans combats cette fois – dans La Rochelle que le 8 mai, dans Lorient et Saint-Nazaire que le 9 (tandis que deux sous-marins allemands réussissent à s'esquiver, voguant sans doute vers l'Argentine), et dans Dunkerque seulement le 10.

Désormais toute la France est alors – enfin ! – libérée.

LA RECONSTRUCTION

Une tâche immense attend les reconstructeurs, à laquelle ils s'attellent aussitôt (*Images du monde*, 13 novembre 1945).
(Coll. Ch. Le Corre)

Calendrier de la victoire, 1945, édition vendue au profit des œuvres sociales des FFI sous le contrôle du colonel Rol Tanguy (avec tampon FFI).
(Centre d'Etudes Edmond-Michelet, Brive-la-Gaillarde)

Page de gauche :
À bord de l'*Île-de-France*, paquebot réquisitionné rendu à sa destination civile, le fils de l'un des intendants, juché sur une bicyclette américaine, embrasse son père. La vie reprend son cours et les Français découvrent la société de consommation (*Images du monde*, 25 septembre 1945).
(Coll. Ch. Le Corre)

Moins meurtrier pour la France que la Première Guerre mondiale, le conflit de 1939-1945 laisse pourtant de graves séquelles. Il a en effet profondément divisé les Français, montré leur courage mais aussi leurs grandes et leurs petites lâchetés. Après la Libération, des visionnaires préparent l'avenir sur des bases nouvelles en dépit des sombres nuages qui, de nouveau, ne tardent pas à s'amonceler sur une Europe exsangue.

ENTRE MALAISE ET ESPOIR

La Seconde Guerre mondiale a tué davantage de civils que de militaires. Parmi les 600 000 Français (1,5 % de la population) qui sont morts entre 1939 et 1945, 250 000 seulement portaient un uniforme (dont 170 000 tués au combat ou morts de leurs blessures) pour 350 000 civils, dont beaucoup de femmes et d'enfants. Les combats et les bombardements (qui ont fait 150 000 morts), la répression, le travail forcé et les déportations ont aussi apporté leur lot de blessés et de traumatisés physiques et psychologiques. L'absence des hommes a provoqué une baisse des naissances dans les premières années de la guerre (au total une perte démographique d'un peu moins de 1,5 million d'âmes), à la veille du *baby-boom*, qui permettra rapidement de combler le retard.

Les destructions matérielles, très importantes, ne sont pas cantonnées au Nord et au Nord-Est comme en 1914-1918. Des villes entières ont été dévastées comme Brest, Lorient, Le Havre, Caen ; 22 000 km de voies ferrées sur 40 000 sont hors

De très nombreux Français vivent dans
des conditions précaires au lendemain
de la Libération. Une veuve de guerre
et ses onze enfants logent dans une pièce
et un débarras (Normandie, automne de 1945)
(*Images du monde*, 4 décembre 1945).
(Coll. Ch. Le Corre)

Partout les stigmates de la
guerre demeurent visibles.
Sur la plage de Bénodet,
à l'embouchure de l'Odet,
des enfants jouent à côté
des structures métalliques
allemandes destinées à
empêcher le débarquement
des barges alliées (été de 1945)
(*Nuit et Jour*, 30 août 1945).
(Coll. Ch. Le Corre)

d'usage ; 10 000 ouvrages d'art détruits. Un million de familles restent sans abri, aussi le 16 novembre 1944, un ministère de la Reconstruction et de l'Urbanisme est-il créé. Dans tout le pays des milliers d'engins dangereux, pendant des dizaines d'années encore, continueront à tuer, surtout des enfants (plus de 500 morts entre 1944 et 1950, sans compter les quelque 500 Français et plus de 2 500 prisonniers allemands sacrifiés au cours des opérations de déminage). L'agriculture produit au ralenti, en partie autarcique. Le franc a perdu les 4/5 de sa valeur ; l'inflation reste importante. Les entreprises manquent de matières premières (la production a baissé de 40 % par rapport à 1938). Le rationnement est maintenu jusqu'en 1949 et la misère perdure plusieurs années après la Libération. Toutefois, l'immédiat après-guerre, comme le lendemain de la Première, est

aussi marqué par une frénésie de rattraper le temps perdu, dont les caves de Saint-Germain-des-Prés, devenues le lieu de rendez-vous favori d'une jeunesse insouciante, peuvent servir d'emblème.

Le traumatisme moral se révèle considérable dans une France choquée par la découverte des camps de concentration et le retour des déportés, dont 14 000 meurent des séquelles de la captivité entre 1945 et 1955. Les horreurs de la guerre conduisent une frange de l'*intelligentsia* à s'interroger

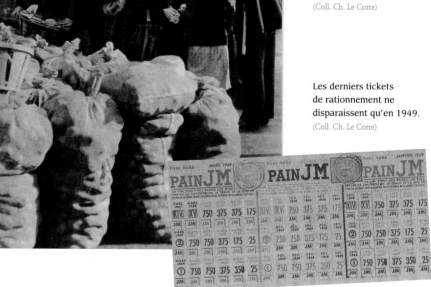

Pendant de longues années
encore, les restrictions
alimentaires sont à l'ordre
du jour. Un agent de police
tente de mettre de l'ordre
dans une queue d'amateurs
de pommes de terre aux halles
de Paris (automne de 1944)
(*Cadran*, n° 5).
(Coll. Ch. Le Corre)

Les derniers tickets
de rationnement ne
disparaissent qu'en 1949.
(Coll. Ch. Le Corre)

sur l'absurdité du monde et à désespérer de la nature humaine. Les œuvres d'Albert Camus, d'Eugène Ionesco ou de Jean-Paul Sartre témoignent de ce désenchantement. Nombre d'écrivains et de philosophes font alors d'un messianisme matérialiste, le communisme, leur nouvelle religion. A l'image d'« anciens » comme les poètes Eluard et Aragon, beaucoup de jeunes talents adhèrent au parti ou deviennent des « compagnons de route » (Gérard Philipe, Marguerite Duras, Yves Montand et Simone Signoret). Au rebours André Malraux, l'ancien des Brigades internationales, s'engage résolument du côté des gaullistes.

A contre-courant de la montée de l'athéisme, un net renouveau religieux se fait parallèlement perceptible. Les ordinations sacerdotales augmentent. Beaucoup de jeunes ont découvert ou retrouvé la foi dans la Résistance ou dans les camps de prisonniers. Les préoccupations sociales conduisent à la création de nombreux mouvements comme *Emmaüs* (1949), l'association de l'abbé Pierre. L'Eglise de France est agitée par un bouillonnement qui prépare le concile Vatican II, où elle prendra une part importante.

L'hôtel *Lutetia*, à Paris, devient le centre de rapatriement des déportés. Ici, Simone Perrin, envoyée à Ravensbrück en 1943 (où elle fut la compagne de misère de Geneviève de Gaulle, nièce du Général) (*Images du monde*, 12 juin 1945).
(Coll. Ch. Le Corre)

Maurice Thorez au faîte de sa puissance (*Image du monde*, 5 novembre 1946).
(Coll. Ch. Le Corre)

MAURICE THOREZ
(NOYELLES-GODAULT, 1900-URSS, 1964)
Ancien mineur puis permanent du parti communiste (SFIC), il se présente comme un « fils du peuple » et séduit une partie de l'électorat populaire par sa verve à l'emporte-pièce. Devenu secrétaire général du parti en 1930, il est élu député d'Ivry en 1932 et réélu en 1936 ; mais il est étroitement encadré par les agents du Komintern et témoigne en toute circonstance de sa fidélité absolue à Staline. Mobilisé en 1939, il déserte en octobre et réussit à rejoindre Moscou, où il passe toute la guerre. Amnistié à la Libération, et devenu un personnage incontournable, il entre dans le gouvernement du général de Gaulle (novembre 1945). Il dirige le puissant parti communiste jusqu'en 1964.

BÂTIR UNE NOUVELLE FRANCE
Les droites d'avant-guerre étant discréditées – malgré la présence de beaucoup de leurs membres dans la Résistance –, la vie politique s'articule désormais autour de trois forces : le MRP (Mouvement républicain populaire), les socialistes et les communistes. Aux législatives du 21 octobre 1945, le PCF apparaît comme le premier parti de France avec 26,1 % des suffrages, contre 25,6 % au MRP et 24,6 % à la SFIO. On parle de « tripartisme ». Toujours emmené par Maurice Thorez, personnage

charismatique, le parti communiste est sorti de son ghetto extrémiste, auréolé de sa participation active à la Résistance à partir de juin 1941. Le MRP, fondé par Georges Bidault, l'ancien président du CNR, et Robert Schuman, de sensibilité catholique sociale, se situe au centre, mais attire également l'électorat conservateur. La SFIO a réussi à maintenir des positions solides. Le scrutin d'octobre 1945 voit également les Français plébisciter à 96 % l'instauration d'une nouvelle République, la IIIᵉ s'étant définitivement discréditée à leurs yeux en juillet 1940.

De Gaulle, qui a réussi à fédérer la Résistance et à rendre son rang à la France, est maintenu par l'Assemblée constituante à la tête du Gouvernement provisoire. Il continue d'appliquer le programme élaboré par la Résistance en mars 1944, qui comprend des nationalisations (charbon, compagnies de distribution de gaz et d'électricité, Air France, marine marchande, une grande partie du secteur bancaire, du crédit et des assurances et quelques entreprises sanctionnées en raison de leur comportement sous l'Occupation : Renault, les moteurs d'avion Gnome et Rhône). L'influence socialiste apparaît dans l'instauration de la planification, certes indicative et non coercitive comme en URSS ; Jean Monnet est nommé commissaire général au plan en décembre 1945.

Le programme de la Résistance prévoyait aussi le droit de vote des femmes, qui est instauré le 5 octobre 1944, après des décennies d'obstruction de la part des milieux qui craignaient un « vote clérical ». Le rôle important des femmes dans la Résistance – illustré par des figures comme Bertie Albrecht et Marie-Madeleine Fourcade – a été déterminant pour imposer cette émancipation si tardive. Dans le domaine social aussi, l'œuvre du gouvernement s'avère très importante (et toujours actuelle) : comités d'entreprise obligatoires dans les entreprises de plus de cent salariés ; délégués du personnel ; Sécurité sociale. Des organismes d'Etat spécialisés sont créés comme le Commissariat à l'énergie atomique (CEA), le Centre national de la recherche scientifique (CNRS) ou l'Institut national de la statistique et des études économiques (INSEE). L'Ecole nationale d'administration (ENA) est fondée en juin 1945.

Les divergences s'accentuent toutefois de jour en jour entre le personnel politique et le général de Gaulle. Alors que celui-ci se montre partisan d'un exécutif fort et rejette « le régime des partis », la majorité de gauche se refuse à diminuer les pouvoirs de l'Assemblée. Finalement, de Gaulle démissionne en janvier 1946. Après le rejet d'un premier texte constitutionnel par les Français le 5 mai 1946, une nouvelle version recueille l'adhésion des trois principales formations politiques – non pas du Général (discours de Bayeux, le 16 juin).

Le gouvernement formé le 29 janvier 1946 illustre le tripartisme : 1. Félix Gouin (SFIO), président du GPRF et Défense nationale. – 2. et 3. Francisque Gay (MRP) et Maurice Thorez (PCF), vice-présidents du Conseil. – 4. Jules Moch (SFIO), Transports. – 5. Pierre-Henri Teitgen (MRP), Justice. – 6. Marius Moutet (SFIO), France d'Outre-Mer. – 7. A. Le Troquer (SFIO), Intérieur. – 8. Georges Bidault (MRP), Affaires étrangères. – 9. Charles Tillon (PCF), Armement. – 10. Marcel Paul (PCF), Production industrielle. – 11. Gaston Defferre (SFIO), Information. – 12. Marcel Naegelen (SFIO), Education. – 13. André Philip (SFIO), Economie et Finances. – 14. Jean Letourneau (MRP), Postes. – 15. Edmond Michelet (MRP), Armées. – 16. Laurent Casanova (PCF), Anciens Combattants. – 17. François Billoux (PCF), Reconstruction. – 18. Longchambon, Ravitaillement. – 19. Tanguy-Prigent (SFIO), Agriculture. – 20. Ambroise Croizat (PCF), Travail. – 21. Robert Prigent (MRP), Santé (*Point de vue*, 7 février 1946).

(Coll. Ch. Le Corre)

Les élections (1945-1946)

Première constituante (21 octobre 1945)	Seconde constituante (2 juin 1946)	Élections législatives (10 novembre 1946)

- Communistes
- Socialistes SFIO
- Radicaux
- Rassemblement des gauches républicaines : radicaux, UDSR, etc.
- Union démocratique et socialiste de la résistance
- Modérés
- Mouvement républicain populaire
- Divers

D'après : Quétel (Claude), *L'Histoire depuis 1945*, Paris, 1934, p. 34.

Les 29 avril et 13 mai 1945, pour la première fois, les femmes peuvent voter et être élues. À Echigey (Côte-d'Or), c'est une liste uniquement composée de femmes qui remporte les élections municipales. Au bureau, Madame le maire Charpy et son adjointe Jeanne Sauvin (*Images du monde*, 12 juin 1945).

(Coll. Ch. Le Corre)

Approuvée par les électeurs en octobre 1946, en dépit d'une forte abstention, la IVe République est instaurée.

En janvier 1947, le Parlement élit à la présidence de la République le socialiste Vincent Auriol, qui nomme président du Conseil Paul Ramadier (qui avait, comme lui, refusé les pleins pouvoirs à Pétain en juillet 1940). Le gouvernement demeure le reflet d'une large partie de l'échiquier politique, tandis que de Gaulle lance en avril le RPF (Rassemblement du peuple français), qui devient le principal parti d'opposition. Cependant, les relations entre les communistes et leurs partenaires ne tardent pas à se tendre avec les débuts de la « guerre froide ». Lorsque le PCF vote contre le gouvernement à la Chambre, Ramadier renvoie les ministres communistes (5 mai 1947). L'été et l'automne sont marqués par des grèves insurrectionnelles et de nombreux incidents, parfois sanglants, jugulés d'une

Un véritable culte du « Général » – qui n'est pas sans en rappeler un autre... – est instauré par ses nombreux partisans. Le visage du général de Gaulle étant très peu connu des Français, ce type de document avait aussi pour objet de présenter « l'homme du 18 juin ».

(Centre d'Études Edmond-Michelet, Brive-la-Gaillarde)

main de fer par le ministre de l'Intérieur socialiste Jules Moch, créateur des CRS (Compagnies républicaines de sécurité). En plein marasme économique, dans ce climat trouble à l'intérieur comme à l'extérieur avec l'instauration des régimes socialistes en Europe de l'Est, la France peut sembler à la veille d'une révolution. En décembre 1947 pourtant, le PCF et sa courroie de transmission syndicale, la CGT, appellent à la reprise du travail. Ayant triomphé de cette grave crise, la IVe République incarne désormais l'attachement de la grande majorité des Français à la démocratie libérale.

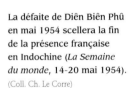

DES CRAQUEMENTS
DANS L'EMPIRE

Cette France nouvelle sera-t-elle toujours « la plus grande France » ? La question semble presque incongrue à la Libération. Et pourtant, l'empire a connu des soubresauts dès les lendemains de la Grande Guerre, au cours de laquelle la métropole a largement fait appel aux colonisés. Après un autre recours massif aux indigènes pendant la Seconde Guerre mondiale, chacun sent bien que quelques aménagements sont nécessaires. De Gaulle n'a-t-il pas fait de vagues promesses dans le sens d'une plus large participation des autochtones à leur propre administration dans son discours du 30 janvier 1944 à Brazzaville ? Pourtant, les gouvernements français successifs ne prennent pas la juste mesure des aspirations des peuples colonisés. L'Union française, créée par la Constitution de 1946, n'envisage pas le développement des différentes composantes de l'empire en dehors de la tutelle française. Or, si l'URSS – et donc le PCF – soutient la décolonisation pour affaiblir le camp occidental, plus étonnant dans ce contexte les Etats-Unis l'encouragent eux aussi, plus sournoisement, afin de substituer leur influence à celle des grandes puissances européennes, notamment en Asie.

En Algérie, les émeutes de Sétif et de Guelma, qui ont coûté la vie à plus d'une centaine d'Européens le 8 mai 1945, avaient certes surpris, mais la répression qui avait suivi avait étouffé pour près de dix ans les revendications algériennes sans pour autant rien résoudre sur le fond. Le 1er novembre 1954, la « Toussaint rouge » marquera le début de la plus dure des guerres de décolonisation. Des troubles ont aussi éclaté au Maroc, où au début de 1944 des manifestants réclament la libération des chefs nationalistes emprisonnés, et où une émeute fait 65 victimes à Casablanca le 7 avril 1947. En Tunisie, le parti nationaliste néo-Destour, animé par Habib Bourguiba, proche des Allemands durant l'Occupation, revendique l'indépendance à partir d'août 1946. En Syrie des combats opposent les troupes françaises aux nationalistes et le 17 avril 1946 le pays acquiert son indépendance complète, tandis que l'armée française évacue aussi le Liban. A Madagascar, en mars 1947, la sanglante révolte des Menalambas entraîne une dure répression.

C'est en Indochine enfin que la situation s'est avérée la plus délicate. Les troupes françaises, surprises par un coup de force japonais le 9 mars 1945, ont été en grande partie massacrées sous les yeux des indigènes. Le 2 septembre 1945, au moment même où Leclerc reçoit aux côtés des autres Alliés la capitulation du Japon sur le cuirassé *Missouri*, le communiste Hô Chi Minh (chef du *Vietminh*) proclame l'indépendance du Vietnam. Dépêché à Saigon dès octobre, Leclerc rétablit l'autorité française dans le

La défaite de Diên Biên Phû en mai 1954 scellera la fin de la présence française en Indochine (*La Semaine du monde*, 14-20 mai 1954).
(Coll. Ch. Le Corre)

À gauche :
La plupart des Français sont fiers de leur Empire colonial et n'imaginent pas un instant de s'en défaire. Cette page du *Pèlerin* du 27 novembre 1938 est toujours d'actualité dix ans plus tard. On y reconnaît les figures de Jacques Cartier, le découvreur du Canada, et du Père Charles de Foucauld, l'ermite de Tamanrasset.
(Coll. Ch. Le Corre)

L'occupation de l'Allemagne et de l'Autriche

Annexé par l'URSS

DANEMARK

MER DU NORD
MER BALTIQUE

Kœnigsberg
Kiel
Dantzig
Hambourg
Stettin
PAYS-BAS
Brême
Varsovie
Hanovre
Berlin
Potsdam

Sous administration polonaise

ALLEMAGNE
Düsseldorf
Halle
Leipzig
POLOGNE
Bonn
Dresde
Breslau
Weimar
BELG.
Wiesbaden
Coblence
Prague
Francfort-s.-Main
SARRE
Nuremberg
T C H É C O S L O V A Q U I E
Baden-Baden
Stuttgart
Fribourg
Munich
Vienne
FRANCE
Salzbourg
SUISSE
A U T R I C H E
Innsbruck
Graz
ITALIE

Zones d'occupation
soviétique
britannique
française
américaine

0   200 km

D'après : Michel (Henri), *La Seconde Guerre mondiale*, Paris, 1968, p. 190.

Sud, en Cochinchine. Au nord (Tonkin), bastion des rebelles, la France reconnaît le 6 mars 1946 la République démocratique du Vietnam. Centre (Annam) et Sud doivent décider par référendum s'ils veulent rejoindre ou non cet Etat désormais libre qui, aux côtés du Cambodge et du Laos, constitue la Fédération indochinoise. Le manque de diplomatie du haut commissaire français, l'amiral Thierry d'Argenlieu, et la volonté du *Vietminh* d'aller jusqu'à l'indépendance, conduisent finalement à la guerre. Le 23 novembre 1946, la marine française bombarde Haiphong ; en décembre, des centaines d'Européens sont massacrés à Hanoi : la guerre d'Indochine commence.

Une Jeep transformée en voiture de tourisme. Les énormes stocks de l'armée américaine contribuent à améliorer le quotidien de Français toujours adeptes du « système D » (*Globe*, 26 décembre 1945).
(Coll. Ch. Le Corre)

LA FRANCE S'ANCRE DANS LE CAMP OCCIDENTAL

Confrontée à l'effritement de sa puissance sur le plan mondial – dont la question coloniale n'est que le symptôme le plus voyant –, la France ne peut plus mener une politique entièrement autonome. Elle revient d'ailleurs de loin. Absente des conférences de Yalta (février 1945) et de Potsdam (juillet-août), elle a tout de même obtenu des zones d'occupation en Allemagne et en Autriche et un siège permanent au conseil de sécurité avec droit de veto à l'Organisation des Nations unies (ONU).

Le 5 mars 1946 à Fulton (Missouri), Churchill évoque le « rideau de fer » qui sépare désormais l'Europe en deux. Chacun de ceux que l'on appelle les deux « grands », Etats-Unis et Union soviétique, propose ou impose alors aux Etats européens de sa sphère respective son modèle économique et politique et sa « protection ». Après le renvoi des ministres communistes le gouvernement français accepte le plan d'aide proposé le 5 juin 1947 par le général Marshall, secrétaire d'Etat américain. Avec cette décision, la France s'ancre solidement dans le camp occidental. Comme les autres Européens « de l'Ouest », elle devra désormais sa tranquillité au parapluie nucléaire et à la présence massive des soldats américains sur le vieux continent. En 1949, elle compte parmi les membres fondateurs de l'OTAN, dont le siège est fixé à Paris.

La France de la fin des années quarante renaît donc sur des bases démocratiques et volontaristes, mais elle est confrontée à un triple défi : faire durer ses institutions, fortement contestées dès le départ ; maintenir son empire colonial ; et tenir son rang dans un monde bipolaire où elle a clairement choisi son camp.

LES ACACIAS CINÉAUDIENCE PRÉSENTENT

LE CHAGRIN ET LA PITIE

UN FILM DE
MARCEL OPHULS

CHRONIQUE D'UNE VILLE FRANÇAISE SOUS L'OCCUPATION

Première Époque : L'EFFONDREMENT
Deuxième Époque : LE CHOIX
Scénario et interviews : MARCEL OPHULS et ANDRÉ HARRIS

Une coproduction TÉLÉVISION RENCONTRE, NORDDEUTSCHER RUNDFUNK, SOCIÉTÉ SUISSE DE RADIODIFFUSION

Mémoire et justice

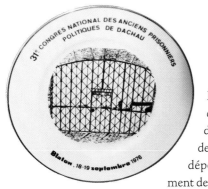

Une assiette souvenir de 1976
réalisée pour le congrès
des anciens de Dachau.
(Centre d'Etudes Edmond-Michelet,
Brive-la-Gaillarde)

Un traumatisme tel que la Seconde Guerre mondiale, avec les chocs de la défaite, de l'Occupation, de la guerre civile et des déportations, laisse forcément des traces indélébiles. Après l'euphorie de la Libération viennent la quête de justice et de reconnaissance, la lutte contre l'oubli, les tentatives d'explication : un travail qui n'est pas achevé et qui donnera matière à étude aux historiens pour des décennies encore.

LE MYTHE DE LA RÉSISTANCE ET SES CONTESTATAIRES

Au lendemain même du conflit et jusqu'au début des années soixante-dix, ce sont essentiellement deux familles de pensée qui se disputent – faute d'une « exclusivité » impossible – l'héritage de la Résistance : gaullistes et communistes entament la lutte pour la mémoire, délégitimant d'autres composantes historiques du mouvement comme les socialistes, les chrétiens, la droite classique et l'extrême droite. Pour les gaullistes la France entière a résisté, hormis quelques individualités indignes condamnées pour leurs crimes. Les communistes de leur côté s'efforcent d'accaparer l'essentiel de la résistance à l'occupant à leur profit, qu'ils cristallisent dans la légende du « parti des 75 000 fusillés ».

Page de gauche :
**Affiche du film
de Marcel Ophüls.**
(Bibliothèque du Film et de l'Affiche)

La Résistance mythifiée est illustrée par le film de René Clément *La Bataille du rail* (1944-1945) ou encore par *Nuit et Brouillard* (1956), d'Alain Resnais. Elle a ses martyrs, tels Gabriel Péri (exécuté le 15 décembre 1941) pour les communistes ; d'Estienne d'Orves pour les gaullistes. Le 19 décembre 1964, de Gaulle tente de

Tous les ans désormais des journées du souvenir commémorent les évènements de la Seconde Guerre mondiale : capitulation de l'Allemagne nazie, libération des camps, rafle du Vél d'Hiv', etc. Cette affiche reprend un travail de Paul Colin réalisé environ vingt ans plus tôt. C'est une des dernières représentations de ce type (christique) : les années 1960-1970 voient se développer le terme de « Shoah ».
(Centre d'Etudes Edmond-Michelet, Brive-la-Gaillarde)

réaliser la synthèse à son profit de toutes les mémoires de la Résistance avec le transfert des cendres de Jean Moulin au Panthéon, organisé par André Malraux. Le Général – dont la légitimité vient d'être contestée en Algérie par des figures de la Résistance et de la France combattante comme le général Salan, Soustelle et Bidault – veut alors rassembler les Français autour d'un personnage d'exception. Cette année 1964 marque en même temps l'effacement durable dans la mémoire collective d'une autre figure jusque-là emblématique, celle de Pierre Brossolette, devenue pour un temps insuffisamment « consensuelle » à la fois aux yeux des socialistes et des gaullistes.

Le Chagrin et la Pitié de Marcel Ophüls, tourné en 1967-1969, mais diffusé seulement après la mort du Général, puis *Français si vous saviez...* d'André Harris et Alain de Sedouy, brisent le mythe de cette « France résistante », en révélant la diversité des conduites et la complexité des attitudes sous l'Occupation. En 1972, le président de la République Georges Pompidou, qui n'a pas été résistant lui-même, déclare : « Allons-nous éternellement entretenir saignantes les plaies de nos désaccords nationaux ? Le moment n'est-il pas venu de jeter le voile, d'oublier ces temps où les Français ne s'aimaient pas ? » Ce n'est pas l'avis de tous.

LES PROCÈS TARDIFS ET LA REPENTANCE

La loi du 26 décembre 1964 ayant rendu les crimes contre l'humanité imprescriptibles, les années 1980 et 1990 voient en effet se dérouler une série de procès concernant des faits vieux de quarante à cinquante

Le général de Gaulle embrasse le chancelier allemand Konrad Adenauer après avoir procédé à la signature du traité de coopération franco-allemand le 22 janvier 1962 dans le salon Murat du Palais de l'Elysée.
(Photo AFP)

Le général de Gaulle, entouré de Georges Pompidou (à sa droite), d'André Malraux (à sa gauche), et de nombreuses personnalités, rend un dernier hommage à Jean Moulin (premier président du Conseil national de la Résistance) lors du transfert de ses cendres au Panthéon à Paris le 19 décembre 1964.
(Photo AFP)

L'ancien officier SS Klaus Barbie, le « boucher de Lyon », extradé de Bolivie, au tribunal à Lyon le 11 mai 1987, premier jour de son procès pour crimes contre l'humanité. Il a été condamné à la prison à vie pour la déportation de 844 membres de la résistance et Juifs durant l'occupation nazie.
(Photo AFP)

ans, ou plus. Klaus Barbie, bourreau de la Résistance lyonnaise, depuis longtemps repéré en Bolivie, est finalement expulsé vers la France en février 1983 et il est condamné à Lyon à la détention à perpétuité le 3 juillet 1987.

Certains des derniers auxiliaires français de l'Allemagne nazie survivants sont eux aussi rattrapés par leur passé. Le 24 mai 1989 est arrêté à Nice Paul Touvier, ancien chef du service de renseignement de la Milice dans le Rhône. Gracié par le président Pompidou en 1971, il n'échappe pas cette fois à la détention à perpétuité et, comme Barbie, il mourra en prison. Le 8 juin 1993 est assassiné René Bousquet, ancien secrétaire général à la Police sous l'Occupation, récemment inculpé de crimes contre l'humanité. Condamné le 2 avril 1998 à dix ans de réclusion criminelle pour complicité de crimes contre l'humanité, l'ancien secrétaire général de la préfecture de la Gironde Maurice Papon est finalement libéré pour raison de santé le 18 septembre 2002.

Le président de la République François Mitterrand a certes toujours refusé de faire des excuses au nom de la France pour les crimes de Vichy ; mais le 16 juillet 1995, à peine élu, son successeur Jacques Chirac reconnaît la responsabilité de la France dans la déportation des Juifs.

Photo, prise le 16 juillet 1995, du président Jacques Chirac lors des cérémonies commémoratives de la rafle du Vél d'Hiv le 16 juillet 1942. Jacques Chirac reconnaît à cette occasion la responsabilité de la France dans cette déportation (13 000 Juifs étrangers déportés en quelques jours), mettant fin ainsi à une longue polémique.
(Photo AFP)

La visite du passé des Français ne se limite cependant pas à la recherche de coupables ; elle se traduit aussi par la mise en lumière de l'action obscure de résistants jusque-là discrets ou par l'attribution de la médaille des Justes à ceux, nombreux, qui ont sauvé des personnes menacées de génocide.

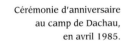
Cérémonie d'anniversaire au camp de Dachau, en avril 1985.
(Centre d'Etudes Edmond-Michelet, Brive-la-Gaillarde)

CONCLUSION

Aucune autre période de l'histoire de France, sauf peut-être la Révolution et l'Empire avec leur cortège de gigantesques affrontements entre nations et idéologies, de féroces guerres civiles et d'occupation étrangère, n'a davantage été faite à la fois d'ombres et de lumières que la Seconde Guerre mondiale. En 1940, à l'issue d'un traumatisme tel que le pays n'en avait guère connu qu'aux pires heures de la guerre de Cent Ans, les Français se sont divisés en trois groupes inégaux : à côté des attentistes, de loin les plus nombreux, s'opposent – nouveaux Armagnacs et Bourguignons – des collaborateurs venus de tous les horizons politiques, et les résistants, étrange alliance des héritiers des Lumières, des nationalistes les plus traditionnels, des chrétiens et des communistes, nouvelle « union sacrée » ? Deux générations plus tard l'historien peut se risquer à formuler un jugement sur cette époque trouble, même s'il restera toujours très difficile d'apprécier chaque attitude personnelle, qui a pu être dictée par des facteurs complexes dont une partie nous échappe.

Par sa politique de collaboration, expliquent ses défenseurs, Vichy a réussi à éviter à la France les affres que connaissait au même moment un pays comme la Pologne (avec des déportations et meurtres à grande échelle, une population réduite en esclavage). La France, c'est vrai, ne fut pas « polonisée », mais son sort ne fut guère plus enviable que celui d'un pays qui peut lui être comparé, les Pays-Bas, où la reine et son gouvernement avaient choisi la voie de l'honneur en s'exilant à Londres. En apportant une aide considérable à l'effort de guerre allemand, la France officielle s'est fait son propre geôlier, retardant sa libération. Il

est certain qu'en obligeant l'occupant à ne compter que sur ses propres forces de police et sur une administration « importée », les dirigeants français de 1940 auraient rendu beaucoup plus difficile la tâche des Allemands, et auraient donc concouru à un épuisement plus rapide du IIIᵉ Reich.

De toute manière, en novembre 1942, Vichy a jeté le masque : si de Gaulle était bien l'« épée » qui contribua – avec d'autres, notamment la Résistance intérieure – à regagner à la France une place parmi les vainqueurs, Pétain n'était décidément pas le « bouclier » du peuple français, mais l'otage consentant des Allemands, voire en certaines circonstances leur homme de main. A jamais souillé par la tache des déportations, des tortures et des exécutions de résistants, de Juifs et de Tziganes, le « Maréchal » s'est lui-même condamné devant l'Histoire.

En 1945, malgré Vichy, la France apparaît comme une sorte de miraculée. Elle n'est certes plus une « superpuissance ». Si les illusions des années 1918-1939 perdurent encore quelque peu, l'affaire de Suez, en 1956, a le mérite de clarifier la situation : il n'y a plus désormais que deux « grands », les Etats-Unis et l'Union soviétique. Sans doute le français est-il choisi comme langue officielle à l'ONU, mais la culture française (pourtant si présente en Amérique latine et en Europe centrale dans l'entre-deux-guerres) s'efface progressivement et l'empire colonial n'est plus qu'un fantôme à l'issue des années 1954-1962.

Pourtant, ce déclin est substantiellement compensé par l'extraordinaire expansion économique des années 1945-1973, les « Trente glorieuses », qui marquent la véritable accession de la France à la modernité.

En fond :
Partout le général de Gaulle est célébré comme le libérateur de la France. Ici en Bretagne.
(Coll. Ch. Le Corre)

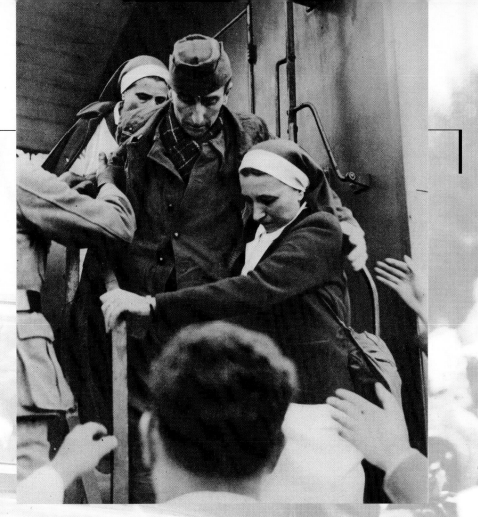

Le civil ou le combattant désarmé, à la merci du vainqueur, resteront les douloureux symboles de la tragédie de 1939-1945. Retour d'Allemagne d'un prisonnier français grand blessé de guerre, libéré au printemps de 1941 (*La Semaine*, 1er mai 1941).
(Coll. Ch. Le Corre)

Une personne née avant la Grande Guerre peut croire en 1970 qu'elle vit dans un autre pays, tellement il vient de se transformer sous ses yeux. L'amélioration générale des conditions d'existence, l'incroyable allongement de la durée de la vie, l'entrée dans la société de consommation ont cependant aussi pour corollaire l'effacement des repères traditionnels que le matérialisme ne parvient pas à remplacer : la disparition de la société à base paysanne, la déchristianisation, le délitement de la famille et de l'autorité, la remise en cause des idéaux collectifs comme le concept même de nation. Les générations du « baby boom », épargnées par les guerres, trop gâtées peut-être, exprimeront leur « mal être » en 1968.

Guerre idéologique, guerre d'asservissement et d'extermination, la Seconde Guerre mondiale a paradoxalement débouché en France comme dans les autres pays d'Europe occidentale sur des décennies de paix, ce à quoi le continent n'était plus habitué (mais cette tranquillité a eu pour prix l'oppression de l'autre moitié du continent). C'est comme si tant d'horreurs et la menace atomique avaient enfin rendu les Européens conscients que ce qui les réunit est beaucoup plus important que ce qui les sépare. La construction européenne s'est d'abord fondée sur la réconciliation entre les principaux adversaires d'hier : France et Allemagne, et ce n'est pas un hasard si la ville disputée de Strasbourg a été choisie pour sa capitale. Cette Europe issue de la guerre s'est prolongée pour l'essentiel jusqu'à l'effondrement du Mur de Berlin en novembre 1989 et la réunification allemande, un an plus tard, véritables conclusions de la Seconde Guerre mondiale. Un jour, des universitaires choisiront sans doute ces dates pour clore un cycle de l'histoire du monde.

Porte d'entrée du camp de concentration Natzweiler-Struthof. (Coll. Jean Simon)

QUELQUES LIEUX DE MÉMOIRE DE LA SECONDE GUERRE MONDIALE EN FRANCE

Les lieux de mémoire de la Seconde Guerre mondiale sont si nombreux, répartis sur l'ensemble du territoire français (chaque ville a ses monuments, plaques de rue au nom d'une figure de la Résistance locale ou nationale, etc.), que nous ne proposons ici qu'une sélection, forcément arbitraire, de quelques-uns d'entre eux, emblématiques ou méconnus. La plupart de ces lieux sont vivants, en ce sens où ils sont régulièrement le cadre de cérémonies du souvenir et proposent au visiteur des circuits pédagogiques.

Le cinquantenaire du débarquement et celui de la capitulation de l'Allemagne nazie ont ainsi été célébrés avec faste en Normandie (juin 1994) et à Paris (8 mai 1995) en présence des principaux chefs d'Etat et de gouvernement concernés. Le 5 juin 1994, trente-sept vétérans américains ont sauté en parachute sur Sainte-Mère-Eglise. Dans de très nombreuses communes de France la Libération a été commémorée par des cérémonies officielles, des fêtes populaires et des publications.

ALSACE

Ballersdorf (68) : Monument à la mémoire d'un groupe de jeunes Alsaciens rattrapés puis fusillés par les Allemands, alors qu'ils tentaient de passer en Suisse pour échapper à l'incorporation de force (1943).

Natzwiller-Le Struthof (67) : Le seul camp d'extermination nazi sur le sol français

Le Mémorial du Struthof.
(Photo Hermann Lersch)

(Mémorial national de la Déportation, nécropole de 1 119 déportés français de différents camps et Centre européen du résistant déporté).

Schirmeck (67) : Mémorial d'Alsace-Moselle, destiné à faire connaître l'histoire tourmentée de cette région ballottée entre la France et l'Allemagne de 1870 à 1945.

AQUITAINE

Bordeaux (33) : Musée national Jean-Moulin, consacré à la Résistance.

AUVERGNE

Vichy (03) : Les habitants et la municipalité ont choisi d'oublier un passé dont ils ne sont absolument pas responsables. Aucune plaque n'indique l'emplacement des anciens ministères de l'Etat français. L'hôtel du Parc où séjournait Pétain est devenu « Résidence Le Parc », divisé en appartements. Aucun musée ou lieu de commémoration n'est prévu. Seul un hommage aux 80 députés qui ont refusé les pleins pouvoirs au maréchal est rendu chaque 10 juillet.

BOURGOGNE

Dijon (21) : Comme dans de nombreuses villes de France un char *Sherman* rappelle la Libération (avenue Garibaldi).

BRETAGNE

Brest (29) : Mémorial finistérien de la Seconde Guerre mondiale au fort de Montbarey.

Plumelec (56) : Mémorial des parachutistes SAS et des commandos de la France libre.

Saint-Marcel (56) : Musée de la Résistance bretonne et des combats de juin 1944.

Ile de Sein (29) : Monument aux marins de la France libre, près du phare.

CENTRE

Maillé (37) : Mémorial en hommage aux civils massacrés par les Allemands en août 1944.

Montoire-sur-le-Loir (41) : Dans la gare une exposition permanente retrace l'entrevue entre Hitler et Pétain le 24 octobre 1940.

CHAMPAGNE-ARDENNE

Villy-la-Ferté (08) : Dernier ouvrage de la ligne Maginot vers l'ouest, où de nombreux soldats français sont morts asphyxiés en mai 1940.

Semuy (08) : Musée de la bataille de Sedan.

CORSE

De nombreux monuments et stèles rappellent que la Corse fut le premier département français libéré, dès 1943.

FRANCHE-COMTÉ

Besançon (25) : Musée de la Résistance et de la Déportation à la Citadelle.

ÎLE-DE-FRANCE

Champigny-sur-Marne (94) : Musée de la Résistance nationale.

Drancy (93) : Monument des déportés, cité de la Muette, l'antichambre des camps de la mort pour des milliers de Juifs.

Paris : Mémorial du Martyr juif inconnu ; aile « De Gaulle » du musée de l'Armée à l'hôtel des Invalides, consacrée à la Seconde Guerre mondiale ; musée de l'ordre de la Libération.

Suresnes (92) : Le Mont-Valérien, où plusieurs centaines de Juifs et de résistants furent fusillés par les Allemands entre 1941 et 1944.

LANGUEDOC-ROUSSILLON

Col du Minier (30) : Stèle à la mémoire du général Huntzinger et de ses compagnons, tués en ce lieu dans un accident d'avion en 1941.

LIMOUSIN

Oradour-sur-Glane (87) : Centre de la mémoire et vestiges du village martyr, détruit avec ses habitants le 10 juin 1944.

Brive-la-Gaillarde (19) : Centre d'études Edmond-Michelet.

Le Centre de la Mémoire d'Oradour-sur-Glane.
Le 16 juin 1944 l'évêque de Limoges, Mgr Rastouil, avait solennellement protesté contre le crime de la division *Das Reich* en pleine cathédrale, ce qui lui avait valu d'être arrêté sur l'ordre d'un Etat français agonisant.
(Photo J.-P. Gratien)

Tombe de l'un des libérateurs de la Franche-Comté à Glainans (Doubs).
(Coll. Brand)

Monument commémoratif de Combeauvert, près de Pontarion (Creuse) au lieu-dit « Janaillat » où, le 9 juin 1944, trente et un soldats du maquis ont été « massacrés par les hordes hitlériennes ».

(Centre d'Etudes Edmond-Michelet, Brive-la-Gaillarde)

LORRAINE

Cornimont (88) : Stèle et statue de Notre-Dame-de-la-Paix en mémoire de la destruction du maquis de la Piquante-Pierre (septembre 1944).

Metz (57) : Mémorial de la Résistance et de la Déportation du fort de Queuleu, camp d'internement pour les patriotes lorrains en 1943-1944.

Veckring (57) : Ouvrage du Hackenberg. D'autres éléments de la ligne Maginot sont ouverts au public en Moselle et en Alsace comme le Simserhof à Siersthal (57), l'ouvrage d'artillerie de Schœnenbourg (67) ou la casemate de Marckolsheim (67).

Le Donon (67-57-88) : Monument à la gloire des passeurs.

MIDI-PYRÉNÉES

Monuments rappelant l'action de la Résistance dans la Libération, notamment à Toulouse (31).

NORD-PAS-DE-CALAIS

Bray-Dunes (59) : Stèle à la mémoire des derniers défenseurs de la poche de Dunkerque.

Audhingen (62) : Batterie *Todt*, l'une des plus importantes du Mur de l'Atlantique.

Cimetière militaire de Dieuze (Moselle). Monument aux combattants polonais morts pour défendre la France en juin 1940.

(Coll. Nouzille)

NORMANDIE

Arromanches (14) : Musée du Débarquement, avec un abondant matériel britannique et américain.

Azeville (50) : Batterie.

Bayeux (14) : Musée mémorial de la bataille de Normandie (armes, matériel, uniformes).

Caen (14) : Mémorial de la Paix, consacré aux origines de la guerre, à la Seconde Guerre mondiale et à la guerre froide.

Courseulles-sur-Mer (14) : Centre Juno Beach, qui présente l'effort de guerre civil et militaire du Canada sur l'ensemble des fronts de la guerre, notamment en Normandie.

Dieppe (76) : Musée et monument du débarquement avorté des Canadiens en 1942.

Le Musée-Mémorial pour la Paix : à mi-chemin entre histoire et mémoire.

(Photo Pierre Bérenger, extraite de *La Normandie*, Editions Ouest-France)

Les Andely (27) : Musée de l'épopée des aviateurs du groupe *Normandie-Niémen*.

Merville (14) : Musée de la batterie de Merville.

Mont Ormel (61) : Mémorial.

Ouistreham (14) : Musée du mur de l'Atlantique et Musée N°4 commando.

Ranville (14) : Mémorial Pegasus.

Saint-Laurent-sur-Mer (14) : Musée Omaha.

Saint-Martin-des-Besaces (14) : Musée de la percée du bocage.

Sainte-Mère-Eglise et *Sainte-Marie-du-Mont (50)* : Musées consacrés à des épisodes marquants du débarquement.

Vierville (14) : D. Day Omaha.

Le cimetière américain de Saint-Laurent-Vierville, contenant près de 10 000 tombes, est établi sur la route même qui borde et surplombe la plage d'*Omaha Beach*.

(Photo armée de l'air, extraite de *6 juin 1944, débarquement en Normandie*, par le général Compagnon, Editions Ouest-France, 2000)

Sainte-Mère-Église revendique le titre de première commune libérée de France. C'est au clocher de son église que John Steele, parachuté dans la nuit du 5 au 6 juin 1944, resta accroché durant deux heures avant d'en être libéré. C'est désormais un mannequin que l'on y place en souvenir.

(Photo Pierre Bérenger, extraite de *La Normandie*, Editions Ouest-France)

PAYS DE LA LOIRE

Châteaubriant (44) : Carrière des fusillés du 22 octobre 1941 et monument.

Mouilleron-en-Pareds (85) : Maison natale du maréchal de Lattre de Tassigny.

Conlie (72) : Musée de la Seconde Guerre mondiale Roger-Bellon.

Saumur (49) : Musée des Blindés.

PICARDIE

Compiègne (60) : Plaque à la mémoire des 50 000 déportés du camp de Royallieu vers Buchenwald et Mauthausen.

Huppy (80) : Monument de la « Croix de Lorraine » (bataille de la Somme en mai 1940).

POITOU-CHARENTE

La Rochelle (17) : Vestiges de la grande base navale allemande, en partie visitables.

Royan (17) : Musée de l'une des « poches de l'Atlantique ».

PROVENCE-ALPES-CÔTE-D'AZUR

Draguignan (83) : Cimetière où reposent les soldats américains de l'armée Patch.

Toulon-Mont-Faron (83) : Musée-mémorial du débarquement de Provence.

Le Mémorial du débarquement de Provence, au Mont Faron.
(Photo Mémorial du débarquement de Provence)

RHÔNE-ALPES

Grenoble (38) : Musée de la Résistance et de la Déportation de l'Isère.

Izieu (01) : Mémorial des enfants juifs exterminés.

Lyon (69) : Centre d'histoire de la Résistance et de la Déportation, installé dans l'ancienne école du service de santé militaire, investi par la *Gestapo* pendant la guerre.

Vassieux (26) : Mémorial du maquis du Vercors ; cimetière militaire et civil.

QUELQUES ADRESSES UTILES
Ministère de la Défense
Délégation à la Mémoire
et à l'Information historique
37, rue de Bellechasse
75700 PARIS 07 SP

Centre d'histoire de la résistance
et de la déportation
14, avenue Berthelot
69007 LYON

Le Centre d'Etudes Edmond-Michelet à Brive-la-Gaillarde.

Centre d'études Edmond-Michelet
4, rue Champanalier
19100 BRIVE-LA-GAILLARDE

Musée de la Résistance
et de la Déportation
La Citadelle - rue des Fusillés
25000 BESANÇON

Mémorial des enfants juifs
exterminés - Maison d'Izieu
01300 IZIEU

Mémorial de la Paix
Esplanade Eisenhower
14000 CAEN

BIBLIOGRAPHIE

La bibliographie concernant la Seconde Guerre mondiale est si vaste que nous nous contenterons ici d'en présenter une courte synthèse. Pour ce qui concerne les mémoires des principaux acteurs, nous évoquerons, sur le seul thème de la Résistance : Passy, *Souvenirs*, 1947-1948 ; Charles de Gaulle, *Mémoires de guerre*, 1954-1956 ; René Cassin, *Des hommes partis de rien*, 1972 ; ou encore, publiés plus récemment : Jean-Pierre Lévy, *Mémoire d'un franc-tireur*, 1998 ; Claude Bouchinet-Serreulles, *Nous étions faits pour être libres*, 2000.

Des ouvrages d'historiens sont devenus des références : Henri Michel, *La Seconde Guerre mondiale*, 1968-1969 ; Robert O. Paxton, *La France de Vichy*, 1973 ; Henri Amouroux, *De la grande histoire des Français sous l'Occupation*, 1976 ; Jean-Baptiste Duroselle, *L'Abîme*, 1982 ; Yves Durand, *La France dans la Deuxième Guerre mondiale*, 1989 ; Jean Quellien, *Histoire de la Seconde Guerre mondiale*, Rennes, 1995 ; Jean-François Muracciole, *La France pendant la Seconde Guerre mondiale*, 2002.

L'historiographie récente s'est beaucoup intéressée à l'Etat français et à l'Occupation (Henry Rousso, *Le Syndrome de Vichy*, 1987 ; François Bédarida, Jean-Pierre Azéma, *La France des années noires*, 1993-2000 ; Marc-Olivier Baruch, *Servir l'Etat français*, 1997 ; Gérard Noiriel, *Les Origines républicaines de Vichy*, 1999 ; Didier Fischer, *Le Mythe Pétain*, 2002 ; Ahlrich Meyer, *L'Occupation allemande en France*, 2002), à la Résistance, revisitée notamment par Alya Aglan, *La Résistance sacrifiée*, 1999 ; à la déportation (André Kaspi, *Les Juifs pendant l'Occupation*, 1991), à la France libre (J.-L. Crémieux-Brilhac, *La France libre*, 1996), aux lendemains immédiats de la guerre (Philippe Boudrel, *L'Epuration sauvage*, 2002). Les événements militaires sont désormais abordés par le prisme de la « nouvelle histoire bataille » : Jean Quellien, *Le Débarquement et la bataille de Normandie*, 1998 ; Christine Levisse-Touzé, *La Campagne de 1940*, 2001.

Le renouveau du genre biographique a permis la parution de nombreux portraits problématisés d'acteurs de la période : Guillaume Piketty, *Pierre Brossolette, un héros de la Résistance*, 1998 ; Laurent Joly, *Xavier Vallat*, 2001 ; Barbara Lambauer, *Otto Abetz et les Français ou l'envers de la collaboration*, 2001 ; Yves Beauvois, *Léon Noël, de Laval à de Gaulle* via *Pétain*, 2001 ; Etienne de Montety, *Honoré Estienne d'Orves, un héros français*, 2001. Par-delà les controverses, le personnage qui suscite le plus d'intérêt demeure Jean Moulin : Daniel Cordier, *L'Inconnu du Panthéon*, 1989-1993 et *La République des catacombes*, 1999 ; Thierry Wolton, *Le Grand Recrutement*, 1993 ; Pierre Péan, *Vies et morts de Jean Moulin*, 1998 ; Jacques Baynac, *Les Secrets de l'affaire Jean Moulin*, 1999 ; Jean-Pierre Azéma, *Jean Moulin, le rebelle, le politique, le résistant*, 2003.

A l'avenir le flot des publications ne se tarira pas. A cet égard rien n'est davantage prometteur que le dynamisme de nombre de jeunes chercheurs français et étrangers (surtout allemands et américains), qui explorent des archives jusque-là inaccessibles ou inexploitées et dont les travaux sont régulièrement présentés dans des colloques scientifiques.

Un parmi les millions de Français mobilisés en 1939. Georges Brand au cours de son service militaire au 153e RI (1935-1937).
(Coll. Brand)

TABLE DES MATIÈRES

En 4ᵉ de couverture, de gauche à droite :
• Une poignée de main lourde de conséquence. À Montoire,
le 24 octobre 1940, Pétain inaugure sa politique de collaboration
avec Hitler (au milieu, Joachim von Ribbentrop, ministre des Affaires
étrangères du Reich) (*Signal*, novembre 1940). (Coll. Ch. Le Corre)

• Etoile jaune en tissu. (Centre d'Etudes Edmond-Michelet, Brive-la-Gaillarde)

• Mobilisation des FFI devant la mairie du 18ᵉ arrondissement au cours
de l'insurrection de Paris (*Libération de Paris*, Série 1). (Coll. Ch. Le Corre)

Remerciements :

M. Sébastien Fraux et
Mme Françoise Germane,
du Centre d'Études
Edmond-Michelet, à Brive
M. Christian Le Corre
M. François Hubert et Mme Fabienne Adam,
du musée de Bretagne
Mme Nathan-Tilloy, des archives
départementales de la Drôme
Mme Laurence Perry et M. Benoît Jordan,
des Archives municipales de Strasbourg
Mme Samantha Jones et Mme Sandra Gibouin,
du Centre de la Mémoire d'Oradour-sur-Glane
Mgr Rocacher, à l'Archevêché de Toulouse
Mme Renucci, pour le Mémorial du
Débarquement de Provence, au Mont-Faron
M. Michel Martinez, conservateur de
la Bibliothèque nationale et universitaire
de Strasbourg
M. Jean Simon, de l'Essor, à Schirmeck.

Éditeur : Henri Bancaud
Coordination éditoriale : Isabelle Rousseau
Conception graphique : Studio graphique
des Éditions Ouest-France
Mise en page : Corinne Chapalain
Cartographie : Patrick Mérienne
Photogravure : Micro Lynx, Rennes (35)
Impression : Imprimerie Mame à Tours (37)

© 2004, Éditions Ouest-France
Édilarge SA, Rennes
ISBN 2 7373 3205.2
Dépôt légal : Février 2004
N° d'éditeur : 4489.01.07.02.04